孩子，先别急着吃棉花糖

Don't Eat the Marshmallow…Yet! For Children

［美］乔辛·迪·波沙达 原著‖［韩］任定进 改编‖［韩］元尤美 申明焕 插图‖徐若英 译

青岛出版社 国家一级出版社
QINGDAO PUBLISHING HOUSE 全国百佳图书出版单位

前言

给成功
一个甜美的支点

　　我们来做一个实验：给你一颗棉花糖，如果你能坚持15分钟不吃它的话，我就再给你一颗。你会怎么选择呢？

　　其实，这个实验早就有人做过了。而且，做这个实验的是美国著名的斯坦福大学。经过统计和跟踪调查后，研究人员发现：能坚持15分钟不吃棉花糖的孩子，长大成人后，不论是在学业、事业上，还是在人际关系的处理上，都比那些无法坚持15分钟再吃棉花糖的孩子优秀。这个实验中的棉花糖，其实只是一个象征着幸福感的符号。同样，坚持与耐心，在这个实验中有了另一个名字——延迟幸福。实验证明：成功的人是不会急着吃掉棉花糖的；成功的人都是会"延迟幸福"的人。

　　在成长的道路上，我们会面临无数的选择。每一个选择背后，都有着无穷的诱惑。有时候，一个简单的选择，哪怕简单到仅仅是让你决定向左走还是向右走的选择，都会影响你的一生。面对这样的选择，我们该何去何从呢？在《孩子，别急着吃棉花糖》这本书里，相信你一定能找到答案。

　　这是一本奇特的书。它娓娓道来，讲述了一个小女孩与她爸爸之间发生的故事。这个小女孩叫珍妮弗，她的爸爸乔纳森是个成功的商人，非常有钱。珍妮弗的身上有着那个年龄段的小女孩身上常见的缺点：爱迟到、缺乏自信、缺少金钱观念、没有人生目标……甚至于，她小小年纪，已经开始担心起自己的体重来。面对女儿身上的问题，乔纳森并没有过多地担心，他只不过是给女儿讲了一个个关于棉花糖的故事，就把女儿身上的缺点化解于无形。于是，就有了这本书里的一个个妙趣横生的故事：建立自信的橘色棉花糖，掌握时间的黄色棉花糖，善用金钱的绿色棉花糖，轻松减肥的紫色棉花糖……

　　吃着这些五彩缤纷的棉花糖，你可以学到很多大人都梦寐以求的"成功法则"。这些法则不只是会帮助你更快地成长，不只是会让你成为大人心目中的"好孩子"，更重要的是，这些法则会帮助你慎重地选择在人生的道路上遇到的每一块棉花糖，为自己将来的成功打下良好的基础。

　　成功只青睐有准备的人，千万不要等到幸福来敲门的那一天，你才突然发现自己忘记了给门装上把手。早起的鸟儿有虫吃。早行一步，从现在开始培养自己成功的习惯与品格，你就能在成功的道路上走得更稳更远。

　　孩子，先别急着吃棉花糖，因为这颗棉花糖将成为一个甜美的支点，帮你插上成功的翅膀，铸就梦想的基石。

目录

棉花糖作战计划

我有我自己的
理由嘛

　　看见窗外一辆黑色的大型奔驰房车驶入庭院，珍妮弗一个箭步冲到玄关门前。珍妮弗的父亲乔纳森走下房车后，司机查理便把房车停在庭院一角，然后上了自己那辆有点破旧的汽车。查理向珍妮弗挥了挥手，做了个再见的手势，便驾车往自己家的方向驶去。

　　可是，今天的珍妮弗脸色实在不怎么好。

　　"爸爸，你回来了。"

　　站在玄关前迎接父亲的珍妮弗，看上去有气无力。以前乔纳森回家时，珍妮弗总会打老远就嚷着问爸爸有没有带什么礼物给她。可今天，她对爸爸的公文包却丝毫不感兴趣。

　　乔纳森去欧洲出差了五天，刚刚回来就看见女儿这个样子，不免有些担心。

"来来来，我的小公主，是不是有什么地方不舒服啊？你都五天没看见爸爸了，怎么好像并不怎么想爸爸呢？"

说完，乔纳森一把抱起珍妮弗，一面亲吻她的小脸蛋，一面试探性地接着问道："嗯，看起来倒不太像是生病了。我的小宝贝遇到什么麻烦了吗？你的状态看起来有点让人担心啊。"

珍妮弗无力地叹了一口气：本来打算这次期中考试拿个高分让爸爸开心一下，可是却事与愿违。

"我觉得老师真的很奇怪。为什么这次考试各科都是从不重要的小地方出题呢？我哪有时间去注意那些躲在不起眼的角落里的内容啊！"

站在珍妮弗身后的妈妈对这件事了然于心，她笑着对爸爸使了一个眼色。

乔纳森心领神会，微笑着对珍妮弗说："哦，原来是这样啊！我们先到厨房喝杯果汁再慢慢聊吧，时间还早，离你上床睡觉的时间还有十五分钟呢！"

于是珍妮弗坐到餐桌旁的椅子上，开始自顾自地发起了牢骚。

"语文试题是这样，科学试题也是这样，不知道为什么我背过的地方一个都没有考，考的全都是些奇奇怪怪的题目。

"数学我都会，但还是有几道题不小心答错了；语文不过就是语法上有一点点错误，老师竟然毫不留情地扣了我很多分。我这次的运气真是太差了！"

"哦，原来是这样，可是考试不见得一定是靠运气啊！对了，你功课复习得怎么样了？我记得出差之前，好像跟你提过我可以陪你一起复习的。"乔纳森说。

"那个……珍妮弗这阵子可忙得很哪。"

妈妈说话了，想要替珍妮弗解围。爸爸不着痕迹地使了个眼色，让妈妈不要帮腔。

珍妮弗又重重地叹了一口气。

"爸爸，你一定想象不出这阵子我有多忙。你知道一年一次的'巨星云集'吧，就是那个很多当红明星都会参加的慈善义卖会，在考试的前一天，电视台对它进行了三个小时的实况转播，我怎么能错过呢？那个慈善义卖会可以让我一次看到所有我喜欢的明星，更重要的是，如果我错过了，到学校里就少了可以跟同学们聊天的八卦话题了。另外，几天前'球关节娃娃俱乐部'开办了跳蚤市场，我觉得实在不能错过这个捡便宜的好机会，所以就跑去逛了一下。"

"再说嘛，我把爸爸上次送我当生日礼物的那辆自行车弄丢了，忙着到处去找，所以根本就没有时间温习功课。也不知道是哪个坏孩子偷走了我的自行车，他现在一定因为我的诅咒而肚子痛得哇哇叫。"

"你有没有把自行车上锁呢？"

"那天……我只是进商店去买点儿东西，很快就会出来，所以没有给车子上锁。我当然记得跟爸爸有过约定——一定要记得把自行车锁上，可是那条街上来来往往的人那么多，我觉得用不着担心嘛，真的只是去了一小会儿而已啊。"

听完珍妮弗的话，爸爸的脸上做出理解的微笑，心里却有了这样的想法：看来我应该找个时间和珍妮弗好好谈一谈。

珍妮弗看着爸爸，脸上做出十分可怜的表情，想要博取同情。

"珍妮弗，你不是每个星期六都要去游泳吗？要不要爸爸把工作计划调整一下，送你去游泳呢？接下来的这五个星期我都比较有空。"

"好啊，当然好了。耶，太棒了！每次搭公共汽车去游泳馆都要绕来绕去，浪费了好多时间，要是爸爸送我去，十五分钟就到了。住在我们家附近的莉娜跟我去同一个游泳馆，我们可以捎上她吗？"

"当然没问题啦，你就请她星期六下午一点半时到我们家来吧。"

珍妮弗兴高采烈地跑回自己的房间后，妈妈不解地问爸爸："亲爱的，你今天好像对女儿特别亲切。你不是不准我开车送她，要她自己搭公共汽车去吗？今天是怎么啦？更何况星期六你要去分公司检查工作，照理说你会很忙啊。"

"利用周末抽出来的半小时时间，和自己的女儿说说话不也挺好的吗？以前根本就没什么机会和她相处，怎么说也该找个时间关心关心她吧。我对自己的事业全力以赴，对自己的女儿更应该悉心培养啊！星期六早上我可以先去远一点的分公司检查工作，下午利用珍妮弗去游泳的一个小时，到就近的分公司检查工作。老实说，我打算在接下来的五个星期里，给珍妮弗讲一讲棉花糖的故事。"

"棉花糖的故事？我记得你说过，那个故事谈到了一个很重要的观念。不过，要珍妮弗现在就听你讲那个故事，她会不会听不懂啊？"

"本来我也是这么认为的，但是今天跟珍妮弗聊过之后，我决定尽早跟她讲一讲棉花糖的故事。"

"哈，谈恋爱的时候你用棉花糖的故事改变了我，这次你又想用它来改变珍妮弗——我会拭目以待的。"

　　妈妈说完，轻轻地拍了拍爸爸的肩膀，然后从橱柜抽屉里拿出了一包棉花糖，笑着问道："你应该会需要这个吧？"

提供学习动力的
红色棉花糖

棉花糖实验

星期六下午一点二十分，乔纳森把车停在自家门口，然后用吸尘器把两个小朋友待会儿要坐的后座清理干净。

"叔叔，您好！"

一点二十五分时，莉娜准时来到乔纳森家门口。她微笑着跟乔纳森打招呼，手里提着装有碎花泳装的透明手提袋。

一点三十分，乔纳森敲了敲家里的玄关门。

"珍妮弗，我们该出发了。"

可是，珍妮弗此刻刚开始准备要带出门的物品。由于珍妮弗一时间找不到她的游泳镜，一直到一点三十三分大家才匆匆忙忙地出了门。

"虽然很不好意思这么说，但我还是要说，开车带你们去游泳馆是有条件的哦。"乔纳森微笑着说。

"什么条件啊？"坐在后座的珍妮弗睁大了眼睛，有些吃惊地问道。

"条件就是——你们要听我讲故事。"

"没问题！我还以为是要我们帮忙洗车之类的事情呢。"

静静地坐在一旁的莉娜，带着微笑听着珍妮弗和她爸爸的对话。

"今天爸爸就跟你们说说爸爸小时候的事情吧。"

"有时候我很难想象大人们竟然也有过童年呢，尤其是我们学校的校长。"

珍妮弗说完，和莉娜相视而笑。

"哈哈，要是没有童年就变成大人了，那岂不是很可惜吗？当我还只有四岁大的时候，我参加了一个实验。那是个意义非常深远的实验，叫棉花糖实验。"

"棉花糖？你说的是可以吃的那种棉花糖吗？"珍妮弗好奇地问。

"没错。我记得那次实验有不少小朋友参加。实验开始后，我们被分别带进不同的房间里。过了不久，进来了一个看起来还算亲切的研究员，他把一颗棉花糖放在我面前的茶几上，告诉我说如果我能够忍上十五分钟不去吃这颗棉花糖的话，他就会再给我一颗。"

"那就是说，稍微忍耐一下就可以吃到两颗棉花糖了。"莉娜咽了咽口水说道。

"可是，对一个年龄那么小的孩子来说，那却是一件很痛苦的事。"珍妮弗皱着眉头说道。

"可不是嘛！我也觉得那实在是太难了。对于当时的我而言，那是何等漫长的十五分钟啊！"乔纳森也表示赞同。

"后来你是不是忍不住把那颗棉花糖给吃掉了？"

"不，珍妮弗，我忍住了。虽然，我还是忍不住用舌头去舔了一下，哈哈！为了让自己不再一直想着那颗棉花糖，我用了各种方法：刻意转过身去不看茶几上的棉花糖；闭上眼睛数数儿；在房间里跑来跑去的，还故意大声唱歌。"

"唉，实在是太可怜了！"珍妮弗向爸爸报以同情的微笑。

"好不容易撑过了十五分钟，那个研究员似乎很满意我的表现，笑着又给了我一颗棉花糖，并且告诉我可以吃了。我迫不及待地把两颗棉花糖都放进嘴里。那滋味，别提有多香甜了！"

"哎哟，现在我也好想吃棉花糖啊。"珍妮弗嚷道。

看见珍妮弗就快要流出口水的样子，莉娜用手肘轻轻地碰了她一下，然后扑哧一声笑了出来。

"不过，那个实验并没有就此结束。十年后，当年的实验团队展开了第二次调查。"

"那是一个什么样的调查？我猜，一定很怪异吧。"

珍妮弗用充满好奇的眼神望着爸爸，等着爸爸继续说下去。莉娜在一旁也是满心期待。

"当时参加棉花糖实验的小朋友有六百多人，十年之后研究人员顺利取得联系的大约只有其中的两百人。研究团队给这两百人的家长每人都寄了一张问卷调查表，请家长填表评价一下自己的孩子。"

"那么爷爷对爸爸的评价是什么呢？"

"很可惜，因为这十年里我们搬了几次家，所以没能收到问卷调查表。那是关于十五分钟内成功忍住没吃棉花糖的小朋友和没忍住吃掉了棉花糖的小朋友，两组人成长状况的比较调查。"

"结果怎么样呢？"

"结果是十五分钟内忍住没吃棉花糖的那些小朋友长大后大都比较成功，学习成绩比较优秀，人际关系也处理得比较好，而且比较懂得控制情绪。而那些没能忍耐到最后的小朋友，在这些方面的表现就没那么好。这个实验得出的最终结论是，不容易受诱惑、安于等待的小朋友，长大后在各方面的表现都比较出色。"

"哦，那爸爸是属于比较优秀的那一群喽。"

"能和不能忍住十五分钟，两者之间竟然有这么大的差异，真不可思议！"莉娜惊讶地说道。

"那个实验看似很简单，却很有趣。珍妮弗，换作是你，你觉得你有办法在那十五分钟里忍住不吃那颗棉花糖吗？

"如果等待十五分钟真的可以多得到一颗棉花糖的话，我做得到。行了，我们别再谈关于棉花糖的事了，爸爸，我突然好想吃棉花糖耶。"

"珍妮弗，你把手伸进椅背上的那个袋子里，看看里面有什么。"

珍妮弗赶紧把手伸进椅背上的袋子里，拿出了一包棉花糖。

"啊，棉花糖被压扁了。爸爸，现在就可以吃吗？"

"叔叔，请问这是要用来考验我们的吗？"莉娜问。

"呵呵，放心吃吧，这不是用来考验你们的。再说，那个故事你们都已经知道了呀。至于你们是不是要带到游泳馆去考验其他同学，或是要跟其他同学一起分着吃，就随你们便喽。"

"考验其他同学？天哪，要过十年才可能知道结果的实验，我才不要做呢。"珍妮弗笑着说。

到了游泳馆门口，珍妮弗和莉娜下了车，乔纳森告诉她们他会在三点十五分回来接她们，然后便驾车离开了。

两个女孩看了看自己手中的棉花糖。

"珍妮弗，把棉花糖先放在你的袋子里，我们晚一点再吃吧。

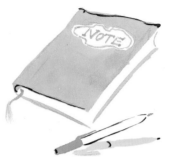

如果我们现在先忍住不吃，说不定十五分钟后我们就可以得到两包呢。嘻嘻……"

"哈哈，虽然我爸爸已经说了这些棉花糖不是用来考验我们的，但是我也赞成我们现在忍住不吃。听完了爸爸讲的故事，要是我们现在就吃掉这包棉花糖的话，我会觉得自己不如别人的！你说呢，莉娜？"

两个女孩加快脚步向更衣室走去，一面走一面讨论着。

"不要急着吃掉眼前的棉花糖，要能够忍耐，这样才会成功。"

听了莉娜的话，珍妮弗的脑海里突然浮现出了"巨星云集"慈善义卖会的现场直播，难道那就是眼前的棉花糖吗？

"莉娜，你看这次的'巨星云集'慈善义卖会的现场直播了吗？"

"当然看了。"

"你没有准备考试吗？那可是在我们考试的前一天播出的呀。"

"我请妈妈帮我录下来了。那天一考完试，我就十万火急地跑回家去看录像。那些明星真的很帅！特别是帕斯卡尔，虽然打扮得不怎么样，可是看上去是那么帅，唱起歌来更是能迷死人！"

"录像？"

珍妮弗一听，顿时泄了气，心想："唉，我怎么没有想到这一招呢……其实，考试那几天根本就没人有空聊'巨星云集'慈善义卖会的话题。为了看那个节目，我放弃了温习功课，可是莉娜不但有足够的时间温习功课，还轻松愉快地观看了'巨星云集'慈善义卖会的实况录像。我不是跟爸爸讲的那个实验中那些没有耐性、急着吃掉眼前棉花糖的孩子一模一样吗？"

女子更衣室里热闹极了。大家正在热烈地谈论着"巨星云集"慈善义卖会的话题，珍妮弗却不想参与其中。她很快就换好衣服，离开了更衣室。

"爸爸今天为什么会突然想起来要给我们讲棉花糖实验的事呢？是不是想给我什么启示啊？会不会是因为爸爸认为我是个耐性不够的孩子呢？"珍妮弗突然想起了什么。

"不过，今天的事至少可以说明爸爸还是关心我的，我还从中学到了一个很珍贵的理念，不是吗？"

想到手提袋里那些被压扁的棉花糖，珍妮弗忽然觉得心情好多了。

考试成绩终于揭晓了，珍妮弗的成绩自然是惨不忍睹。她看着自己的成绩单，不停地叹气。

"真是的……真让人泄气。要是这次取得的是好成绩的话，我就可以理直气壮地要求爸爸给我买一个新的芭比娃娃屋了……"

然而，珍妮弗并不认为考得不好在爸爸妈妈面前就需要低声下气，相反，在给爸爸妈妈看成绩单时，她还振振有词："我知道这次成绩是退步了一点，但是，学业并不是生活的全部啊。我还是有很多长处的，你们大可不必替我担心。你们不会希望我变成书呆子吧？"

听了珍妮弗的话，爸爸和妈妈大概是觉得有些道理，两个人都没有说话。珍妮弗见机行事，动作敏捷地跑回二楼她自己的房间里。

妈妈拿起珍妮弗的成绩单仔细看了看，然后重重地叹了一口气。

"再这样下去，我真担心珍妮弗会跟不上学校的课程。她是不是已经对念书失去了兴趣呢？"妈妈忧心忡忡地说。

"我看用不着等到星期六了，今天晚上我就找珍妮弗好好聊聊。我不能看着自己的女儿虚度时光。"

说完，乔纳森从书房的书桌抽屉里拿出一个信封和一张黄色的纸，来到珍妮弗的房间门口。

"珍妮弗，你睡了吗？你应该还没有睡着吧？可不可以帮爸爸做一件事啊？爸爸的公司需要招聘几个企划部职员，应聘的人很多，可我拿不定主意该录用哪一个人。"

这时，珍妮弗正坐在自己的床上，抚摸着怀里的芭比娃娃。听了爸爸的话，珍妮弗从床上跳下来，迅速打开房门。

"爸爸，这种事情交给我办包你满意。我可是很有看人的眼光

啊，这大概就是人家讲的所谓的天分吧。请把那些人的履历表给我吧。"

履历表一共有五份。珍妮弗很快地扫了一眼履历表后面附带的自我介绍，然后从中抽了一份放到乔纳森的面前。

"哦，你为什么会选他呢？"

"这几个人的年龄都差不多，经历也大同小异，不过这个人看起来最聪明。他除了是一流大学毕业的之外，念高中的时候还当过学校的学生会主席。既然能当上学校的学生会主席，那他在同学中就应该比较有威信，社交能力也比较强……各方面看起来都很不错啊。"

"珍妮弗，你觉得这个人会不会是个书呆子啊？我指的是那种什么都不懂、只会啃书本的书呆子。要想考上那样一所大学，必须很用功念书才行啊。"

"爸爸，也不是没有这种可能……但不管怎么说，你总不能故意挑个成绩很烂的人

吧？他既然能考上一流大学，一定是个很勤奋的人。他一定是那种就算很想睡觉也会拼命忍住，为了学习而废寝忘食的人；他一定是那种很懂得有效利用时间的人。他很可能记性超好，对自己非常有信心。这么优秀的人所交的朋友也不会差到哪里去，说不定他的朋友都像他一样聪明，都在一流的公司上班呢。真是那样的话，他就比别人更容易接触到各方面的信息，在工作上当然就比别人更容易做出成绩。"

"看来，我得请珍妮弗到我的公司里来担任董事长了。珍妮弗，等你大学毕业之后，就到爸爸的公司上班吧。"

"爸爸太小瞧我了吧。到时候我要去一家更优秀的公司去积累经验呢。老实说，相比我的梦想而言，爸爸公司的规模也未免太小了。"

"这么说来，爸爸以后要更努力地工作，好让公司的规模变得更大才行喽。"

乔纳森把桌上的履历表收进信封里，然后把事先准备好的那张黄色的纸放在珍妮弗的面前。

"珍妮弗把你刚才说的那些话写下来吧。"

"写什么？"

"就是你刚才说的，用功念书的人所拥有的优点啊。"

"那个啊，等一下哦。"

珍妮弗拿来一支笔，不假思索地写了起来。

1. 学习成绩好的人懂得自我管理，所以很可靠。

2. 为了考上一流的学校而用功念书的人，一定比较有毅力。

3. 就读一流的学校，会受到更好的教育。

4. 一流学校的学生大多比较优秀，他们身上有很多值得学习的东西，就读一流学校就可以跟他们交往，从而获益良多。

5. 学习成绩好的人，一定会更容易学会其他本领。

看着珍妮弗写下来的内容，爸爸又问了一个问题："这么说来，学习成绩不好的人，他们的特点一定和你写的这些相反了？"

　　"这个嘛……他们有可能是运气不好，所以考得不好，并因此而没能进一流的学校。不过，也有可能是他们既勤奋又有责任感，但就是学习成绩不好。这些，光看履历表是很难看出来的。"

　　这时，珍妮弗突然明白了什么。她对之前自己对爸爸妈妈说话时振振有词的态度开始感到后悔了，于是用撒娇的语气抗议道："爸爸，不要再用这种试探的方式为难我啦！其实我也知道，书念得好，在人生的路上就会受益无穷。这次考试我是考砸了，但是我向你保证，下次一定好好温习功课取得好成绩。我说的是真的。"

　　"我们家珍妮弗能够自己领悟出这个道理真是太好了。那么，我们再来写一下，把书念好会有哪些好处，好吗？"

　　"刚才不是已经都列过一遍了吗？"

　　"不，那些说的是别人。你把自己用功念书之后可能会得到的好处写下来，脑子里想想跟亲自动手写一遍是不一样的。当然，真正去做又是另外一回事了。"

　　爸爸说完，在珍妮弗的额头上留下轻轻的一吻，起身下楼去了。珍妮弗拿出一张天蓝色的纸，提笔写了起来。

把书念好可以得到的各种好处：

1. 把书念好，做任何事都会充满自信。

2. 把书念好，向妈妈要求增加零用钱会变得容易些。

3. 把书念好，班上的同学都会信任我。

4. 把书念好，将来就可以上好学校。

5. 把书念好，学校的老师就会比较注意我。

6. 把书念好，父母会感到很骄傲。

7. 把书念好，即使是不熟悉的人也会肯定我。

8. 把书念好，因为知道很多知识，所以有能力指导班上的同学。

9. 把书念好，考试的时候得到好成绩会觉得很快乐。

10. 把书念好，将来踏入社会就能有比别人更多的机会挑选职业。

11. 把书念好，将来会比别人有更多的机会选择高收入的工作。

珍妮弗放下手中的笔，小心翼翼地把那张纸贴在书桌前的墙上，然后双手环抱在胸前，从头到尾把纸上的内容又仔细看了一遍。

　　"决定了，我也要拥有幸福的生活。我绝对不要当一个成绩很烂又爱吹牛皮，做什么事情都要看别人脸色的女孩。"

棉花糖是用什么做成的

嗨，你们想知道什么是棉花糖吗？制作棉花糖的主要原料是一种植物，属金葵目金葵科，药名叫做药蜀葵。

生长在丹麦以南的欧洲国家的药蜀葵，是各种药蜀葵中最有疗效的一种。

欧洲

药蜀葵生长在水分充沛的河边，高盐分的沼泽地以及潮湿的草地上，能开出娇小而美丽的粉红色花朵。

听说药蜀葵治疗呼吸系统疾病很有效。

啊，咸咸的味道，真不错！

湿润

阿嚏

平常我们见到的棉花糖，软软的，很轻而口感香甜，就是萃取药蜀葵根部的汁液制成的。

看起来很好吃哦！

~咕噜

我要一客棉花糖。

我也要，我也要！

现在为了大量生产，制作时使用了明胶。

在这里要特别跟大家介绍一下棉花糖的制作过程。先把砂糖、麦芽糖和适量的水混合加热，直到水分都蒸发掉，接着放进明胶搅拌出泡沫来，直到其膨胀至原来的2~3倍。

砂糖　麦芽糖　明胶

之后，放进适量的香草粉之类的香料和食用色素。

有时候也需要加入一些蛋白。

然后倒入模具里。

对了，在那之前必须先在模具上涂抹面粉，这样在其凝固之后才容易脱模。

最后，只要等它凝固就好了！

用不同形状的模具可以制作出各式各样的棉花糖，加一些食用色素就可以得到想要的颜色。西方的小朋友去野外露营时，会把棉花糖一个个串起来，然后用篝火烤熟了再吃。变硬了的棉花糖，只要在火上烤一烤就会变得柔软可口了。

吃太多就会变得跟我一样胖了，得节制一点。

不爱吃酸葡萄的狐狸，做起葡萄酒生意

怎么会这么酸?

其他的也都很酸。

又在闹肚子了……

噗

咕噜噜

我不想吃酸的葡萄……再过一阵子应该就熟得差不多了,我要忍耐。

等了一个月。

味道真棒耶!

我只要吃两粒就好。

剩下的就拿来做成果酱,这样到了冬天也有得吃了!

好羡慕哦……

咕噜

冬天也能享受葡萄的美味,真的好幸福啊!

葡萄啊,我真的很爱、很爱你,好想一直都跟你在一起。

有没有什么方法可以长时间保存果酱?

哈,原来还有这种方法啊!

从此以后，其他的狐狸每年都会到这只狐狸的葡萄园里帮忙采收一次，然后领取工钱。

第二块棉花糖

建立自信的
橘色棉花糖

如何成为演讲高手

又到了星期六的下午。莉娜比约定去游泳馆的时间提早一个小时来到珍妮弗家，为的是陪珍妮弗练习，准备下周一上台演讲。

学校里每周都有一节说话课，其中有一段时间是"讲故事时间"，同学们要按照既定的顺序轮流上台演讲。莉娜早在上周就演讲过了。她拿着自己的小狗爱玩的小球走上讲台，然后讲述了她和小狗之间的一些往事。莉娜的小狗葛雷斯，一出生便体弱多病。莉娜并没有因此而放弃葛雷斯，而是无微不至地照顾它，直到它去世。莉娜在讲台上讲述的时候，台下同学的眼里都含着同情的泪水。莉娜的演讲结束后，大家都报以热烈的掌声。

珍妮弗想起了去年冬天，莉娜为葛雷斯举办的那一场小小的葬礼，顿时热泪盈眶。两年来莉娜为那只小狗付出了那么多的关爱，这一切她都看在眼里。所以，听着莉娜的演讲，珍妮弗感触特别多。

让人意想不到的是，莉娜竟然能把故事讲得那么好。有很多同学的演讲都让人捧腹大笑，而莉娜那种静静地讲故事的方式，却更容易得到同学们的共鸣。

"莉娜，我非常希望能像你一样有那么好的表现。可是，我好害怕星期一的说话课。"

"珍妮弗，你才是讲故事的高手，没什么好担心的。听了你跟你爸爸的对话，我发现你的口才很棒啊。你在说话的时候是那样的有条不紊，你根本就不需要担心。"

"也只有你才会这样说，我哪有那么出色？再说，跟自己的家人聊天和站在很多人面前说话是不一样的呀。"

"班上的同学又不是陌生人，那些都是我们很熟悉的人啊，跟家人没什么区别。对了，你打算讲什么故事啊？"

"棉花糖的故事。我打算带着棉花糖上学，故事讲完之后就和全班同学一起分享我带去的棉花糖。"

"大家一定会很开心的。"

"可是，万一同学们嫌我的故事无聊，在台下打瞌睡该怎么办？我在台上拼命地讲故事，同学们在台下猛打哈欠，那不是很丢脸吗？"

"珍妮弗，你怎么变得这么不自信了？对了，去年的讲故事时间你是怎么做的？"

"去年的讲故事时间，我肚子突然疼起来，轮到我时我正在医务室里治病呢。老师说要把我排到最后一个，幸好后来老师把这件事情给忘了，我才逃过一劫。"

"我的天啊！"莉娜惊讶得睁大了眼睛。

珍妮弗茫然地盯着眼前的那包棉花糖，一声接一声地叹气。

"说不定别人早就听过这个故事了，到时候一定没有人会愿意专心地听我讲的。"

"珍妮弗，你就别想那么多了。即使是大家都知道的故事，只要你讲出自己的风格，大家也一定会觉得很精彩的。"

莉娜让珍妮弗高高地站到床上，然后开始练习。

"挺胸，把头稍微抬高。"

按照莉娜的指示，珍妮弗挺胸抬头，但就是没有办法用洪亮的声音开口说话。

"今天我要讲的是那个棉发糖，哦，棉哈糖，唉，我快疯掉了。今天我要讲的是关于棉花糖的故事……你看，我果然是不行。"

珍妮弗气得把手里拿着的棉花糖袋子甩出去老远，然后沮丧地坐了下来。

"你怎么啦？都还没有正式开始呢！"莉娜关心地问道。

"我要说的就是这个啊，我连开场白都说不好。"

莉娜没想到珍妮弗会刚开始练习就这样沮丧，一时之间也不知道该怎么办才好。珍妮弗本来希望自己能像莉娜那样，不，只要能够有莉娜一半好就行了，可偏偏连练习的时候都表现得这么笨拙，这让她感到十分懊恼。

"让我看看你的讲稿。"

珍妮弗一脸惊讶地问莉娜："讲稿？还需要讲稿吗？不就是讲一个不到三分钟的故事吗？"

"原来你没有准备讲稿啊！珍妮弗，有了讲稿，上台讲的时候才会比较从容啊。"

听了这话，珍妮弗手忙脚乱地拿出来一张纸。

"该怎么开始呢？嗯，一个星期六的下午，我爸爸跟我讲了一个有关棉花糖的故事。"

"这样的开场白，会不会太无趣了？"

"好像有一点……对了，那你觉得这样呢……"

三分钟的演讲稿，足足花了四十五分钟才完成，不知不觉已经到了该去游泳馆的时间了。

"两位可爱的小姐，你们在忙什么呢？珍妮弗的妈妈告诉我，你们两个正忙得不可开交呢！"乔纳森问。

"叔叔，您好！下个星期一轮到珍妮弗上台演讲，我们正在做准备呢。我在上个星期就已经做过演讲了。"

乔纳森在出发前仔细检查了两个小朋友的安全带，随后便发动车子出发了。

珍妮弗无奈地叹了一口气，说道："爸爸，你和妈妈生我的时候怎么没有多遗传给我一些勇气啊？"

"勇气这东西，我认为我的女儿有的已经足够多了，怎么还说不够呢？"

"当面对着很多人时我就会很紧张，什么都想不起来了，连声音都会变得像小绵羊一样。而且，我还会脸红呢！总之，我很害怕下个星期一的到来。"

"原来是这样啊。在班上的同学面前开口说话，对你来说真有那么难吗？你们在上课的时候，也时常需要单独回答老师提出的问题啊。"

"上课的时候大家都是集体讨论问题，而且也不用讲太多话啊。这次是我自己一个人站在全班同学面前，有三分钟的时间要站在那里被全班同学盯着看……救命啊！"

乔纳森一直以为自己的女儿是个自信满满的孩子，珍妮弗的话让他吃惊不已。

"那么莉娜呢？安全过关了吗？"

莉娜还没来得及回答，珍妮弗就抢着说道："你不知道莉娜表现得有多棒。她一点都不紧张，简直就是一个天生的演讲高手。莉娜，我好羡慕你哦！"

"珍妮弗，这只是因为你还没有准备好而已。做好充分的准备，多练习几遍，你一样也可以表现得很棒的。"

"莉娜说得对。那些演讲高手，其实也并不是天生就有那么好的口才。他们都是在准备充分的情况下反复练习，不断积累经验，才最终取得成功的。珍妮弗，之所以我们每一个人都必须上学，就是为了能在踏入社会前做好准备，因此要在学校里不断地练习各种技能。既然是练习，出一点差错又算得了什么呢？"爸爸也表示赞同。

"听你们这么一说，我觉得轻松多了。可是，我还是很希望自己不要有失误，表现得好一点。"

"那好，为了让我们家珍妮弗能有更好的表现，我们一起想想需要做些什么准备吧。莉娜，以你的经验，珍妮弗需要做些什么准备呢？"

"我觉得首先要准备一份演讲稿，然后多看几遍，最好能把演讲稿背下来。这样，上台演讲时就不会忘词了。对了，上台前记得要深呼吸，这个很重要哦。"

莉娜伸出手来跟珍妮弗用力击掌，然后两人相视而笑。

"之前我们提到过，学会忍耐、不急着享受眼前的快乐，也是一种取得成功的方法。看来，今天我又有机会讲一个故事给你们听了。只有做好准备，并且不断练习的人，在机会来临的时候，才能把握住机会，取得成功。很多人都说，只要有机会，不怕自己不成功。但是，在机会来临时，却有很多人因为没有做好准备而举棋不定，进而错失良机。这是一次很好的锻炼机会，爸爸认为，珍妮弗若是能好好地把握这次机会，一定可以成为演讲高手。"

　　"的确是这样。去年就因为我什么准备都没有做，所以后来只好到医务室里躲起来。"珍妮弗不好意思地说。

　　"哦，是这样啊。其实，在众多同学面前讲故事是很有意思的一件事，所有人都会全神贯注地听

你讲的。来，我把车窗都打开，你把那些与我们擦身而过的汽车都当作你的同学，然后大声地念你的演讲稿。"

"啊！这样做不是很丢脸吗？"

"反正那些汽车都关着车窗，车里的人是不可能听到你的声音的。你不用担心，快开始吧！"莉娜说。

莉娜的鼓励让珍妮弗找到了勇气。她打开车窗，冲着窗外大声地念起自己的演讲稿来，直到车子到达游泳馆门口。

游完泳，在回家的路上，珍妮弗以同样的方式反复练习了很多遍。回到家后，她按照莉娜的建议，把自己练习演讲时的声音用录音机录了下来。

"珍妮弗，如果你把讲话的速度放慢一点，效果可能会更好。"听完录音后，妈妈提出了这样的建议。

珍妮弗又重新录了一次。

这一次她试着边听录音边跟着念演讲稿，果然感觉自己比之前有了进步。

"很不错嘛！"听到自己的女儿因为找到自信而渐渐变得洪亮起来的声音，爸爸满意地说。

星期天上午，珍妮弗开始不听录音，自己一个人练习演讲。下午，她提着一包棉花糖走到自家后院，把院子里的郁金香当作全班同学，大声地练习演讲。妈妈用一台摄像机把珍妮弗练习时的情景拍了下来，然后拿给珍妮弗看。

"啊！我怎么一直咬着自己的嘴唇啊？我竟然一点儿都不知道。"

珍妮弗看着屏幕上的自己，不由得感到有些失望。屏幕上的她不但看起来一点儿自信也没有，眼神还不停地飘来飘去，看上去有一些不安。为了改正这些缺点，珍妮弗一直不停地练习，再练习。

星期一的上午，珍妮弗在说话课上表现得非常棒，赢得了全班同学热烈的掌声。

天下没有不劳而获的事

那个芭蕾舞演员就是号称舞蹈界最高荣誉的第十四届"BENOIS DE LA DANSE"舞蹈大赛最佳女演员奖的得主耶!

真的吗?

韩国国立芭蕾团首席舞蹈演员——金兆运

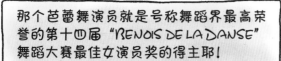

从上午十一点开始,一直练习到晚上十点……

都已经得奖了,还这么努力啊!

芭蕾舞演员姜淑珍的"世上最美的一双脚"

天哪……竟然练习了几百遍……

她是拼命三郎哦!

一九八二年,十五岁的她到摩洛哥国立芭蕾舞学校留学。

哇~

舞蹈课上的表现最不被看好的姜淑珍……再加把劲!

她需要比别人做更多的练习。

咔嚓

一天练足十个小时,每天都不偷懒地拼命练习,穿坏了一百五十双舞鞋……她每天的练习量是多么的惊人。

脚指头简直就跟我这百年老树的树根一样,都变形了……

真够厉害的!

舞鞋

效力于英超曼彻斯特联队的足球运动员朴智星，同样也是个拼命三郎。

学生时代

朴智星！我把球带走啦！

我的骨骼天生就比别的孩子小！

只能靠技巧取胜了！

想要成功的话……

我必须和足球形影不离才行！

老爷爷好！

真是用心啊~

好认真啊！

朴智星的脑海里牢记着教练的教导：
每天必须用脚背触碰足球至少三千下，脚才会对球产生知觉；再碰触三千下以上，才可能把球掌控得很好。

智星，已经是第二千九百五十下了，应该够了吧？

不行，一定要做够三千下才行！

精诚所至，金石为开。你一定能成为一名了不起的足球运动员！

第三块棉花糖

掌控时间的
黄色棉花糖

支配时间的人和被时间追赶的人

　　莉娜和珍妮弗约好每个星期六的下午一点三十分，在珍妮弗家门口会合。莉娜家离珍妮弗家大约有五分钟的路程，她总是会在一点二十五分到达。她们每次游完泳回家的时候，乔纳森也会按时在三点十五分到游泳馆的门口接她们。可是，珍妮弗总是时不时地让乔纳森等上两三分钟。有一次，她甚至让爸爸等了她有七分钟之久。于是，乔纳森暗自决定，一定要帮珍妮弗改掉这拖沓的坏习惯。

　　一天，又到了游完泳准备回家的时间了，乔纳森和莉娜在游泳馆门口等珍妮弗出来。

莉娜小声地说："她跟我说她很快就会出来的。"她想为珍妮弗解围，可乔纳森脸上的表情却越来越僵硬了。终于，珍妮弗拨弄着一头湿漉漉的头发，出现在了游泳馆门口。

"珍妮弗，你今天还是迟到了四分钟。总让爸爸和莉娜等你一个人，你不觉得不好意思吗？"

"才四分钟嘛，爸爸，又不是十四分钟。"

"哦，才四分钟啊。珍妮弗，你不用上车了，就站在这儿等吧。爸爸四分钟后再来接你。"

珍妮弗一开始以为爸爸是在开玩笑，没想到，爸爸真的只载了莉娜一个人，发动汽车扬长而去。

"爸爸！"珍妮弗慌张地大叫起来，但是车子已经开远了。

"嘻嘻……"

看见珍妮弗用力挥动装着泳装的手提袋，大喊大叫的样子，一群刚上完游泳课走出游泳馆的同学偷偷地笑了起来。听到他们的笑声，珍妮弗觉得很丢脸，同时也觉得有些生气。为了避免成为同学们的笑柄，珍妮弗只好又回到游泳馆的大厅里，站在镜子前面装作忙着梳理头发的样子。可是，她四分钟后再回到游泳馆门口时，却没有看见爸爸的汽车。珍妮弗这次真的生气了。

又过了一会儿，爸爸的汽车才出现在游泳馆门口。珍妮弗怒气冲冲地坐到汽车后座上，大声抱怨起来："为什么来得这么晚？我

等了那么久。站在游泳馆门口等人真的好丢脸啊！"

"只不过比约定的时间晚了四分钟，有什么关系呢？我跟你约好在四分钟后来接你，却过了八分钟才到，只不过晚到四分钟而已，又不是十四分钟。晚到四分钟，有必要那么生气吗？我们是自己人啊。"

听了爸爸的话，珍妮弗再也不好意思对爸爸抱怨了。可是，她的气还没消呢。

莉娜偷偷地看了一眼珍妮弗的表情，心想："珍妮弗在学校里是出了名的迟到大王，乔纳森叔叔大概不知道这件事吧。"

莉娜对珍妮弗经常不准时的作风一开始时还有一些不满，可不管她怎么说，珍妮弗永远都认为迟到几分钟根本不算什么，所以现在，莉娜对珍妮弗经常迟到的作风已经习以为常了。

见珍妮弗看着窗外一语不发，乔纳森沉默了一会儿，开口说道："棉花糖的故事已经讲过了，今天再给你们讲一个故事吧。你们知道领导印度非暴力不合作运动的甘地吗？我们今天就来聊一聊他家的故事吧！"

对于爸爸的提议，珍妮弗并没有响应。

"叔叔，我好想听哦！"莉娜倒是表现出很感兴趣的样子。

"甘地有个孙子，名叫阿朗·甘地。在阿朗十二岁的时候，他跟爷爷一起住了一年半的时间。在甘地身边，阿朗学会了自我克制和善用力量的方法，养成了谦逊的气质。据说，甘地曾经对阿朗说过，'你应该懂得把自己获得的与他人分享'。而我接下去要讲的故事，就是关于阿朗·甘地在他十七岁时，所犯下的一个错误。"

虽然珍妮弗心里很好奇，很想知道阿朗犯了什么错误，但还是装作不感兴趣的样子继续看着窗外。

"一天上午，阿朗开车送他的父亲去公司。到了公司门口，阿朗的父亲下车后告诉阿朗，车子好像有一点问题，让阿朗把车子送到汽车修理厂修理一下，在下午五点以前再开车到公司门口接他下班。"

"是不是车子到那个时候还没有修好？"莉娜紧张地问。

"不是。车子早在差不多十二点的时候就已经修好了。见时间还很充裕，阿朗决定先去看场电影。他在电影院里看了两场电影，散场之后才发现已经是下午六点五分了。"

"想必阿朗被他爸爸狠狠地教训了一顿，就像我今天这样。"珍妮弗不高兴地嘟着嘴说道。

乔纳森不予理会，继续讲故事。

"阿朗的父亲问阿朗迟到的理由，阿朗骗父亲说车子很晚才修好。可是，由于担心到了约定的时间却迟迟未到的儿子发生什么意外，阿朗的父亲早就打电话到汽车修理厂问过了。"

"居然会傻到编这种谎话，啧啧……"珍妮弗显然对爸爸所讲的故事产生了兴趣。

"阿朗若无其事地请父亲上车，但他的父亲并没有上车，而是告诉儿子他要走路回家。从公司走到家，那可是很长的一段路程啊！"

"阿朗的爸爸没有责备阿朗吗？"珍妮弗问。

"为什么要责备阿朗呢？"

乔纳森的话让珍妮弗和莉娜都惊讶得瞪圆了眼睛。

"阿朗的父亲比我了不起，他并没有像我刚才那样幼稚地罚女儿在路边等上八分钟。阿朗的父亲对阿朗说：'十七年来，我努力试着让你成为一个正直的人。如今看来，我并没能得到你的认同。我没有资格当你的父亲。我要走路回家，顺便好好反省一下，要怎样做才能成为一个称职的父亲。另外，如果对你而言，我只是一个令你不得不说谎的父亲，那么我希望你能原谅我。'说完，阿朗的父亲转身往家走去，走了五个小时才回到家。阿朗则默默地开着车子跟在父亲后面。"

"啊！"珍妮弗忍不住惊呼了一声，满脸都是不可思议的表

情。莉娜更是急切地想知道故事的发展。

"后来怎么样了呢？阿朗是不是被他父亲在家里关了一个星期啊？"珍妮弗想当然地问道。

"没有，事后他们就当什么事也没发生过，像往常一样过日子。"

阿朗·甘地的故事到这里就结束了。不知不觉间车子已经来到了珍妮弗家门口。下车后，莉娜和珍妮弗都若有所思。两个人谁也没有再开口说话，挥手道别后，便各自回家了。

当天晚上，趁着睡觉的时间还没到，珍妮弗跑去问乔纳森："阿朗·甘地这个人，是爸爸的朋友对不对？"

"没错，他跟我很熟，是个非常了不起的人。"

"爸爸给我讲这个故事，是希望我变成一个守时的好孩子，对吗？"

"珍妮弗，守时是一件我们生活中必须注意的事情。不守时的

人，根本不可能得到别人的信赖。

"不过，我也不只是为了这个原因才给你讲阿朗的故事的，爸爸自己也需要学习阿朗父亲的态度。我也有需要反省的地方。我因为生气，像是报复似的当场处罚了你。那样的做法，可以说是一个当爸爸的人迫不及待地吃掉了棉花糖，哈哈。我应该像阿朗的父亲那样，给孩子以能够促其自我反省的训诫才对。"

"那也就是说，爸爸今天也因为棉花糖而得到教训喽？嘻嘻。"

"是啊，我算是借机反省了一下。珍妮弗，今天可以说我们两个都失败了，我们以后再也不要犯这种错误了。"乔纳森在女儿的额头上轻轻地吻了一下，柔声说道，"你迟到了四分钟，就等于是损失了四分钟。可是更重要的是，你浪费了爸爸和莉娜每人四分钟。这是一个非常大的错误。为什么呢？因为没有任何一种方法可以把失去的时间找回来。即便是世界上最有钱的人，也不可能把失去的时间买回来。"

"我知道了，爸爸。以后，我一定要好好地遵守和别人约定的时间。"

睡意袭来，珍妮弗闭着眼睛说道。

回到房间后，珍妮弗下定决心：明天早上一定要提早五分钟起床。她伸手拿起闹钟，把原本定在六点五十分的闹钟拨到六点四十五分。

晚到两个小时而错失的专利注册

很抱歉，我们无法受理您的申请。

为什么？有什么问题吗？这是非常先进的通信方法！

两个小时以前，我们刚刚受理了一宗跟您的一样但已经命名为电话的发明申请。所以，我们真的没办法受理您现在的这份申请。

怎么会……
是谁……
发明了跟我一样的东西……

早两个小时申请专利的人名叫亚历山大·格雷安·贝尔。他在波士顿以聋哑人士为对象从事各种研究继而发明了电话，后人称他为"电话之父"。

爸爸，爸爸！

要是我早来两个小时……

第四块棉花糖

善用金钱的
绿色棉花糖

珍妮弗的零用钱计划

"莉娜，我知道问这种事情好像不是很恰当，不过我还是想知道你通常能拿到多少零用钱？"珍妮弗问。

"我妈妈每个星期都会给我五块美金，外婆每两个月来我们家一次，每次都会给我十块美金。要是外婆能常来我们家该有多好！"

莉娜说到这里深深地叹了一口气。虽然生活必需品妈妈会买给她，可是，莉娜还有很多想要的东西。十一岁的女孩子，总有一些自己特别喜欢的东西。有时候，莉娜要妈妈买漂亮的小钱包，或是看起来很高级的紫色发饰给她，妈妈总会微笑着对莉娜说："这东西对你而言并不是特别需要，对不对？"

结果，莉娜每次都是靠自己存钱才能买到想要的东西。有时候，她很羡慕比自己有钱的珍妮弗。

珍妮弗听了莉娜的话，不禁暗暗吃了一惊。珍妮弗每个星期都会拿到七块美金，可总是觉得不够用，所以一直都想要求妈妈多给一点。而莉娜一个星期的零用钱才五块美金，上次却花十三块美金买了一顶棒球帽送给自己当生日礼物。自己当时还因为那顶帽子看起来很廉价而不太喜欢呢！想到这里，珍妮弗不禁对莉娜感到有些愧疚。

"莉娜，你一个星期的零用钱才五块美金，不觉得太少了吗？"

"省着点用也还过得去。如果我要求有更多的零用钱，我妈妈就要更辛苦地工作了。现在，我妈妈连星期六都要工作到很晚呢。"

看到自己的好朋友这么懂事，珍妮弗对自己要求有更多零用钱的打算感到惭愧，下定决心再也不提这件事了。

不过，珍妮弗不到一天就变卦了。珍妮弗无意间听见妈妈在电话里跟爸爸谈到，这次爸爸在公司里的股份分红比上一次增加了不少。于是，她又重新动起了向妈妈要求增加零用钱的念头。珍妮弗认为，既然爸爸是个很会赚钱的企业家，要求他多投资一点钱在自己女儿身上，是天经地义的事情。

"爸爸，我是这个家里很重要的一个人，对不对？"吃完了晚餐，珍妮弗问乔纳森。

"那当然喽。"乔纳森笑着说道。

说完，乔纳森不动声色地观察着能言善辩的女儿，心想：从她那张小嘴里不知道又要说出什么样的话来。

"我有个想法，爸爸何不一个星期投资十块美金在我身上？我想，我绝对值得爸爸这么做。"

"你现在不是一个星期有七块美金的零用钱吗？怎么，不够用吗？"

"爸爸也知道，有很多商品是专为我们这个年龄段的女孩子设计的，不是只有大人才需要用钱，我们小孩子也有很多地方需要用到钱呢。"

"我当然知道小孩子也需要用钱。一个星期给你十块美金对我来说也不是多困难的事，不过……"

"不过？"

为什么是"不过"？珍妮弗的表情立马变得凝重起来。爸爸在咖啡馆喝咖啡花掉的钱，一个星期也差不多要二十块美金。难道说，他唯一的女儿每个星期跟他要十块美金他都舍不得给吗？珍妮弗担心爸爸接下来会说出令她失望的话，于是抢先一步说道："我听说，让小孩子学习善用金钱是很重要的。"

"那好吧，我想了解一下你会怎么花一个星期十块美金的零用钱。你最好拟一份计划书来让爸爸看看。我的意思是，我希望你能够证明你真的值得让我一个星期投资十块美金。等你把计划书交来之后，我再做决定。爸爸让你念的是一所非常好的学校，同时你还拥有一个安全又温暖的家，你所吃到的每样食物都是新鲜而美味的，你所穿的衣服永远都是最漂亮的，我还提供给你在你这个年龄所需要的文化生活。既然你还想要求除此之外更多的东西，我当然要盘算一下这么做值不值得。"

"爸爸，你真的是太小气了！"

珍妮弗气得跑回二楼自己的房间。一进房间她便打电话给莉娜，抱怨起来。

"我爸爸真的很小气，我又不是什么股票，说什么要盘算一下值不值得。我不过是想多要一点零用钱，真不知道有什么好计较的。真想不通，明明他那么会赚钱，却为什么那么不愿意将赚来的钱跟自己的女儿分享？我爸爸每个月还捐一百美金给非洲难民呢！"

"珍妮弗，你冷静一点。你就听叔叔的话，把十块美金的使用

计划书交给他就是了。换作是我的话，我不会花时间在发牢骚上面，我会赶快把计划书做出来。"

"哦，你说得也对。"

珍妮弗放下电话，把纸、笔拿出来摆在书桌上。她知道，如果真的想要说服爸爸的话，就需要起草一份能够令他满意的计划书。

一个小时以后，珍妮弗迫不及待地跑到书房里找爸爸。

"这是我的计划书。"

"是吗？我来看看。"

正在看书的乔纳森把手中的书合上，仔细地端详了一下女儿的计划书。

珍妮弗站在一旁为爸爸说明计划书的内容。

"生日派对虽然不是每个星期都有，但是我需要提前做准备；饰品也不是每个星期都买，但是我每个月至少会买一个大约四块美金的饰品。"

青少年美容杂志　　四块美金

饮料或冰淇淋　　两块美金

朋友的生日礼物　　三块美金

饰品　　一块美金

"很好，也就是说，目前的七块美金对你而言是够用的。你爱看的那个美容杂志，照你的计划书来看，一个星期也只需要一块美金啊。"

"糟糕！"

珍妮弗抓起计划书跑回自己的房间，修改了一下再度回到爸爸的书房里。

"饮料部分，如果你从家里带几盒饮料出门，这部分的花费应该就可以省下来了。"

"可天气热的时候，我想喝冰镇的饮料啊。"

青少年美容杂志　　　　一块美金

饮料或冰淇淋　　　　　两块美金

朋友的生日礼物　　　　三块美金

饰品　　　　　　　　　一块美金

储蓄　　　　　　　　　三块美金

"天气热到让人想喝冰镇饮料的月份，在美国一年到头也只有两个月而已。其他的月份，并不需要冰镇的饮料啊。"

"天气冷的时候，人家总要喝一点热可可嘛。"

"那么冷的天气，一年里也只有两个月而已。我再看看，多了储蓄的项目啊。如果每次都存三块美金的话，一个月就有十二块美金，一年就会有一百四十四块美金了。你打算怎么利用这笔钱呢？"

"我要像爸爸那样投资股票，等拿到股息后，我要去买一件新的参加派对时穿的衣服。"

"很不错的想法。你把你所有的饰品都拿过来让我看看，好吗？"

"爸爸，我在这个家里到底还有没有人身自由啊？"

"我只不过是想要帮帮你。在金钱的使用上，爸爸可比你有经验啊。"

珍妮弗不高兴地嘟着嘴，把自己装饰品的箱子提了过来。箱子里面装满了发卡、发圈、发箍、手环、耳环、项链、丝带、别针等东西。

"依我看啊，你已经有了这么多的饰品，应该够用了。"

"爸爸，饰品是需要跟得上时尚的……哎呀，真是有理说不清！"

"时尚当然重要，爸爸的意思也不是让你不要在意时尚。你从这些东西里头，把使用过五次以上的挑出来好吗？"

珍妮弗顿时感到有些慌张了。五次以上？这里面的大多数饰品自己用过一次就连看都懒得再看一眼，真正用过五次以上的少之又少。珍妮弗硬着头皮挑选了一下，发现只有三四件饰品用过五次以上。

"我挑好了。"

"珍妮弗，你挑剩下的这些是不是都不太用得上？那就这样吧，把你挑剩下的这些饰品卖了换现金，然后把钱存起来。"

"不行啊！有些饰品是我的好朋友送给我的，而且……"

"珍妮弗，这里面没有几件是你的好朋友送给你的啊。"

"这……我还是觉得爸爸的建议不太好。"

"你好好想一想，只有艺术品、古董和有特殊意义的东西才有珍藏的价值……"

"好，我知道了，我会开办一个跳蚤市场把这些东西卖掉，然后用换来的钱买一件我真正喜欢的饰品。"

虽然认同爸爸的话并且答应要把大部分饰品卖掉，但是珍妮弗一想到原价五块美金的发卡很可能只能以一块美金五十美分的低价卖给别人，就觉得很不甘心。

"看来，你还是坚持要多加三块美金的零用钱作为储蓄金喽？"爸爸看出了珍妮弗的想法，微笑着问。

听了爸爸的话，珍妮弗突然觉得很不好意思。其实她一开始并

不是这么想的，可是拟好计划书后却发现情况完全变了。

"为了准备供你念大学的钱，爸爸有一些基金方面的投资。你能想到用自己存下来的钱做投资，这个想法很棒。但是把投资的收益都拿去买一件新衣服，那就有欠考虑了，更何况妈妈还经常给你买新衣服。何不重新想一想，该怎样妥善运用投资得来的收益呢？你知道爸爸每个月捐给非洲难民的一百块美金是怎么来的吗？"

"爸爸那么会赚钱，一个月捐一百块美金根本不是什么难事啊！"

"珍妮弗，爸爸为了存这一百块美金，每天都从家里或办公室里带着用保温瓶装好的咖啡出门，这么做是为了把去咖啡馆喝咖啡的钱省下来。爸爸觉得，让非洲那些贫苦的小朋友喝到干净的水、吃到食物，比把钱花在喝咖啡上面更有价值。"

"爸爸，你那么有钱，根本就不需要那么做啊！"

"爸爸是在贫穷的环境里长大的，虽然现在过着富足的生活，但生活是充满变数的，如果把所赚来的钱轻率地就花掉，很可能在某一天又会变得身无分文了。如果你认为有钱的人家都是挥霍无度的，那你可就错了。只有懂得把辛苦赚来的钱用在有价值的事情上的人，才有机会拥有更多的财富。"

"身为有钱爸爸的独生女，我难道连一点点特别的好处都没有吗？"

珍妮弗的话，惹得爸爸哈哈大笑。

"你有没有想过自己已经拥有多少东西了？你瞧，我们住在这么宁静的小区里，房子又是这么干净、漂亮。你应该知道自己是个幸运的孩子，有个有钱的爸爸，但是，我还是希望能够让你学会正确使用金钱的方法。按照爸爸目前的收入，就算我一个星期给你五十块美金也不成问题，但是我不想这么做，因为我希望你在金钱的使用上能够养成节制的习惯。另外还有一点，我努力赚钱是为了让我们一家三口过上幸福美满的生活，同时，在我有余力的时候我也会去帮助那些需要帮助的人。"

珍妮弗知道这时候最好是先退一步。

"好吧，我再去写一份计划书给爸爸。我一定要让爸爸觉得一个星期给我十块美金是很值得的。"

回到房间后，珍妮弗左思右想，盘算了很久。

到了这个局面，很明确的一件事，便是爸爸是不可能轻易就答应增加零用钱的。珍妮弗重新看了一下手中的计划书。按照爸爸的说法，外出时从家里带饮料，就可以省下一些钱。

遇到天气热的时候，可以先把饮料在冰箱里冰一下再带出去；如果天气变冷了，就可以像爸爸那样，用保温瓶装热饮。这么一来，只剩下想吃冰淇淋的时候才会花到钱了，而且一个星期想吃冰淇淋的次数大概也只有一次而已。再说，身边的好朋友最近都开始注重保持身材，越来越不爱吃冰淇淋了。

至于美容杂志，如果一次订一年的话，在价格上就可以有九折的优惠。

"要不干脆改成一次性定一年杂志吧！"珍妮弗自言自语道。但她还是下不定决心，于是再次打电话给莉娜："莉娜，你有没有订杂志啊？"

"我一直都有看园艺杂志和电影杂志的习惯，不过我通常是去图书馆看。我每个月都会去一趟图书馆看杂志，如果看到感兴趣的内容就复印下来带回家。"

"可是，学校的图书馆并没有青少年美容杂志啊。"

"那你可以去市立图书馆啊。如果那里也没有的话，你可以向工作人员提出申请。我听说如果有市民提出申请，图书馆就会依照申请单去订购的。"

"真的吗？"珍妮弗有些将信将疑。

第二天，珍妮弗去了一趟市立图书馆。图书馆的书架上摆满了各种杂志，珍妮弗挑了一本《手工艺世界》。这本杂志介绍了饰品DIY的方法。通过这本杂志珍妮弗了解到只需要一些简单的材料就能制作出十种以上的饰品，除此之外她还了解了一些关于饰品的时尚信息。

从图书馆回家后，珍妮弗决定跟莉娜一起开办一个饰品跳蚤市场。为了丰富货物，她还向妈妈和妈妈的朋友要来一些她们不太用得到的饰品。结果，她收集到的饰品不但种类繁多，数量也比原先设想的目标多了很多。

"女生最密集的地方是哪里呢？"

"游泳馆的女生更衣室门口，还有偶像明星商品专卖店的门口。"

"莉娜，你真的好聪明哦！"

从那天起，每逢星期六，珍妮弗和莉娜便在游泳馆的女生更衣室前，以三十分钟为限开办限时跳蚤市场。乔纳森也很配合地比往常晚四十分钟来接她们，以支持女儿做生意。

莉娜负责卖中古饰品，那些饰品都卖原价的八折。由于两人事先已经说好，莉娜自己带来的饰品卖的钱全都归莉娜所有，所以莉娜也很卖力地向比较熟悉的阿姨或是大姐姐们要来她们不要的饰品。

珍妮弗除了负责售卖的工作外，还同时负责帮客人修理饰品。她准备了万能胶和小镊子、剪刀、钳子，还有各种形状的人造宝石。她把同学们坏掉的饰品修好后，会酌收五十美分到一块美金不等的费用。由于修理饰品的业务广受好评，珍妮弗和莉娜决定多投资一点钱在需求量最高的人造宝石上，并且增加修理业务的比重。

一传十，十传百，消息很快就传遍了校园，同学们纷纷拿着坏掉的饰品来找珍妮弗。遇到一些严重受损而无法修复的饰品，珍妮弗干脆就把它们整个分解，然后把还能用的零件装饰在别的鞋子或发卡上。这些再利用的装饰品更加受到同学们的喜爱。

一个月后，珍妮弗算了算挣到的钱，竟有三十二块美金之多。这些钱比爸爸一个月给她的零用钱还要多。而且，在省着用的情况下，一个月过去了，这个月的零用钱居然还剩下五块美金。这下子，珍妮弗不再需要找各种理由要求爸爸增加零用钱了。

"珍妮弗，我怎么还没有拿到你的新计划书啊？"几天后，在从游泳馆回家的路上，爸爸突然问道。

"我想我应该不需要爸爸投资了。我觉得我现在已经可以自己一个人经营了。"

"哦，那真是太好了！如果需要爸爸投资的话，你可以随时告诉我。"

"二十年之后，说不定爸爸的公司会被我并购呢，爸爸你可要小心哦。"

珍妮弗小大人般说话的模样，让爸爸忍不住哈哈大笑起来。

珍妮弗决定了，以后再遇上同学过生日，她要自己动手做饰品当作礼物——这是珍妮弗省钱的另一个妙招。

会捉鱼的小熊永远有鱼吃

小熊每天都很努力地练习抓鲑鱼。以后就算熊爸爸不在了，小熊也能够抓到很多鲑鱼，每天都能饱餐美味。

有一个熊妈妈，她非常非常疼爱自己的孩子。

妈妈、妈妈……

我要买书……

我想要书

我真的很爱我的孩子！

有没有什么方法可以让我们一整年都能吃到鲑鱼呢？

！

有招了。

我把鲑鱼的肚子切开然后晒干，这样就可以一年都有的吃了！

你好厉害啊，妈妈！

熊妈妈后来申请了制作鲑鱼干技术的专利，并通过卖鲑鱼干赚了很多钱。

这是送你的礼物哦！

哇……好多啊！

棉花糖的故事

喜爱阅读的小熊长大后成了一个深谋远虑的熊，写了很多书，成了一位畅销书作家。

签名会

有能力才能赚大钱
—深谋远虑的熊—

达成目标的
蓝色棉花糖

阿瑟叔叔的故事

　　每次在旁边听着珍妮弗和她爸爸的谈话，莉娜总是暗自羡慕。莉娜和妈妈相依为命，在家里能够说话的人就只有妈妈。而妈妈总是忙着工作赚钱，两个人很少有时间聊天。莉娜很羡慕珍妮弗是有钱人家的孩子，不过，更让她羡慕不已的是珍妮弗可以有人陪着说说话，并从谈话中悟出一些道理。

　　"莉娜，对你来说，读书的目的是什么呢？"有一天在回家的路上，乔纳森边开车边问莉娜。

　　这突如其来的问题让莉娜有些错愕，不过她还是十分镇定地作出了回答。

"这个嘛……长大以后，我希望能够进广告公司工作。我觉得广告这个行业，能够让我尽情地发挥创造力。也许上班工作是一件压力很大的事，但我希望我可以享受工作。我想先去广告公司打工，存一些钱，然后大约在三十五岁的时候自己开一家广告公司。到时候，叔叔或许可以考虑一下投资我的公司哦！"

"哈哈，很有想法嘛！我还以为莉娜只是个小女孩呢，没想到已经是个有自己想法的大女孩了。不过，关于投资这件事，得到时候再考虑。因为，我必须要看看三十五岁的莉娜，究竟积累了些什么样的经验，而且，我必须先知道那个时候的你擅长的是哪一种类型的广告，这广告适合哪一个门类的商品，才能投资，总不能因为大家是好朋友就友情投资啊。"

"那是当然的，叔叔。到时候我一定会先拿我的创业计划书给您看的。不过，说不定我在二十岁时就开始创业了，嘻嘻。"

"莉娜，你那么喜欢看园艺类的书籍，或许真的可以在那方面取得成功呢。"珍妮弗插话道。

对珍妮弗的话，莉娜不置可否："那只是我的一个兴趣爱好。我跟妈妈现在住的房子庭院太小了，只能种一些水仙花、雏菊之类的小花。不过，或许我们将来会有机会搬到大房子里住，到时候我一定要把庭院布置得漂漂亮亮的，让院子里开满美丽的花儿。"

"哦，是这样啊。"

珍妮弗在一旁听着莉娜和爸爸的对话，越听心里越觉得不是滋味。

"这算什么嘛，到底谁才是爸爸的女儿啊？"珍妮弗心里说。

此后，直到车子开到游泳馆的大门口，珍妮弗都沉着脸没再开口说话。虽然珍妮弗知道莉娜平时就很喜欢看报纸、杂志上刊登的广告，但她并不知道莉娜长大后想从事广告方面的工作。她之前只是单纯地以为，莉娜是因为喜欢看广告上的模特儿才爱看那些东西的。

乔纳森和莉娜继续谈论着关于广告的话题。

"莉娜，你是不是有在广告公司上班的亲戚啊？你这么小就对广告知道得这么多，真是不简单啊。你现在才十一岁，对吧？"

"马上就要十二岁了。我并没有在广告公司上班的亲戚，我只是平时爱看报纸、杂志上的广告而已。如果我有什么想要了解的信息，可以上网去查。您不要感到奇怪，一些跟我差不多年龄的同学，有不少也像我这样，为了将来能够从事自己喜欢的工作而积极做准备呢。有一个同学，不论是在公园里还是在湖边，他看到的几乎所有的鸟，他都能叫得出它们的名字。他说他希望自己长大以后，可以从事关于北极燕鸥是怎样从北极迁徙到南极去的研究。他还告诉我说，如果能够揭开这个秘密，他相信人类一定也可以依靠更少的能量，拥有更便利的生活。那位同学每次去图书馆，借来借去都是有关鸟类的书。"

"现在的孩子竟然这么聪明，真是让人意想不到啊！"

乔纳森赞叹不已，而珍妮弗则只是在一旁静静地听着他们的对话。

　　珍妮弗当然也知道那个被同学们称作"鸟类博士"的梅特。只要是关于鸟的事，梅特可以说是无所不知。他甚至可以只根据一根羽毛的形状，就说出那只鸟的名字和种类。梅特以前告诉过她，并不是所有的鸟都能自由自在地飞翔，有些鸟可以飞得很高，但也有些鸟却只能滑翔或者在地上奔跑。梅特张口闭口都是关于鸟的话题，有时候会让同学们避之唯恐不及——珍妮弗也是这样。可是现在听莉娜这么一说，珍妮弗突然觉得梅特还挺厉害的。

"目标，我的目标是什么？"

珍妮弗一边游泳，一边思考着这个问题。游泳的时候，在最短的时间内游回起点便是目标。在游泳的初学阶段，学了一个月时，差不多可以把游五十米的时间缩短2秒。但是学了三个月后，想要把时间再缩短1秒都很难。游泳选手往往付出巨大的努力，只为了能把时间缩短0.1秒。想到这里，珍妮弗明白了，原来每个人都有自己的目标。

在女子更衣室门前卖饰品的短短几十分钟里，珍妮弗仍然不由自主地思考着关于目标的问题。

"既然如此，那我长大后是不是该做饰品生意呢？这挺适合我的个性，而且一定能赚很多钱。不过，我将来的目标真的只是卖这些饰品吗？是这样吗？"

珍妮弗想了好长时间，越想越觉得烦躁。她突然觉得莉娜是那么的聪明，相形之下自己却显得很稚嫩，一点都不懂得为自己的将来做规划。可是，即使明白了这一点，自己目前也不可能放下自尊去请教莉娜关于人生目标的问题啊。

在回家的路上，爸爸告诉了珍妮弗一个消息：爸爸的司机阿瑟叔叔要辞职去念大学了。

"可是，要去念大学一定需要很多钱，阿瑟叔叔是不是突然继承了一笔遗产？”

"哈哈，没有什么遗产，只不过阿瑟叔叔现在有足够的能力去完成这件事了而已。没想到他竟然会在我完全没有察觉的情况下，努力了这么久。等一会儿他会在吃晚餐的时候向你母亲道别，有什么问题到时候你可以直接问他。”

莉娜并不认识阿瑟，于是向珍妮弗询问阿瑟的情况。

"阿瑟叔叔是我爸爸的司机，突然决定要去念大学了。阿瑟叔叔看起来不太像是喜欢读书的人啊！”珍妮弗说。

"阿瑟若是知道你这么说他，一定会很伤心的。不过，现在的阿瑟可是脱胎换骨了，因为我也跟他讲了棉花糖的故事。”乔纳森笑着说。

珍妮弗感到十分好奇，她想知道阿瑟叔叔听了棉花糖的故事之后，在思想上究竟有了怎样的改变。

晚餐前，阿瑟来到了珍妮弗家。他换掉了司机制服，穿着一件条纹外套，看起来跟平时很不一样。

"快请进！听我先生说你要离职了，实在很舍不得呀。”

珍妮弗的妈妈把阿瑟领进了客厅——这是阿瑟第一次走进老板家的客厅。

阿瑟一看见珍妮弗，便露出了开心的笑容："小姑娘，你的游泳课学得怎么样了？”

珍妮弗的妈妈请阿瑟坐在沙发上，珍妮弗挨着阿瑟坐了下来。

"你好，叔叔。我已经等你好久了，我想对你做一个专访呢。"

"什么专访？如果是那样的话，我是不是应该先去美容院敷个面膜再来啊？"阿瑟面露疑惑。他又转向乔纳森："董事长，怎么会突然要做什么专访呀？我今天来纯粹只是为了向夫人道别的。"

"哈哈，你不用担心，不会有人来拍照的。只不过是珍妮弗希望你能告诉她你是怎么发生这些转变的。"乔纳森解释道。

"阿瑟叔叔，我也听我爸爸讲过棉花糖的故事。你真的是因为听了那个故事，才下定决心去念大学的吗？"珍妮弗问。

"珍妮弗，对我来说，做出这样的决定其实并不像你所说的那么容易。我其实是深思熟虑之后才下定决心的。当我还是高中生的时候，就急着吃掉了自己根本负担不了的棉花糖。那个时候，我真的很想有一部很拉风的车子，好拉着女朋友到处兜风。买了车子后，在后来的高中生活里，我总是忙着打工以支付昂贵的购车贷款以及汽车的维修费和保养费，根本没有多余的时间来念书。后来我没有去考大学，也没能找到一份稳定的工作。司机当久了，想要交一个不错的女朋友也变成不可能的事了。"

"这么说，你的那部拉风的车子，其实是一颗危险的棉花糖。"

"阿瑟，你想喝点什么？热红茶，还是冰镇柠檬汁，或是来杯龙舌兰酒？"看到阿瑟陷入回忆里，一旁的乔纳森开口问道。

"董事长，既然我是在和小姐聊天，我想我还是喝柠檬汁吧。"

阿瑟非常愿意和珍妮弗聊天，因为从来没有人像珍妮弗这样津津有味地听他说话。

"董事长告诉过我，他的高中时代和我完全相反。董事长在高中时一直开着一部老旧的车子，努力用功考上了一流的大学，大学毕业后进入一流的大公司。我在念高中的时候，压根儿就没想过人生其实是一段漫长的旅程。我以为只要自己喜欢，就没什么好顾虑的，从来都没有好好想过，未来还会遇到更多的棉花糖。好在现在知道了也不算太晚，你说呢？"

　　"我能比叔叔更早听到棉花糖的故事，真的觉得自己好幸运。"

　　"没错，珍妮弗。不过，叔叔还多学到了一点：明白道理和实际去做是两回事。"

　　"我知道。虽然我也知道勤劳是一件好事，但是哪怕是每天早上提前五分钟起床，对我来说都真的好难。不过，如果我每天早上都能提前十五分钟起床的话，就能准时收听西班牙语教学广播了。"

　　"呵呵，董事长，您的宝贝女儿好像很贪心哦。"阿瑟看着珍妮弗热切的眼神，开玩笑地说。珍妮弗的爸爸和妈妈希望阿瑟和珍妮弗不受拘束地尽情聊天，故意坐得比较远。

　　"叔叔，爸爸还跟你讲过什么别的故事吗？"珍妮弗问。

　　"董事长还跟我讲过两个运动员的故事，其中一位运动员叫拉里·伯德。"

　　"拉里·伯德？是很有名的运动员吗？爸爸怎么没有给我讲过他的故事啊？"说着，珍妮弗斜睨了爸爸一眼。

乔纳森看到后仍是静静地坐着，面带微笑。兴高采烈的阿瑟并没有注意到珍妮弗的小动作，继续讲他的故事。

　　"他曾是波士顿凯尔特人职业篮球队最优秀的一名运动员。虽然他现在已经是名满天下，但在他还默默无闻的时候，他每天都要练习三百次投篮。即使是在他成名之后，他也还是保持着这个习惯。不仅如此，在每一次比赛的当天，他都会提前两三个小时到达比赛现场，非常仔细地检查场地的地板。"

　　"干吗要检查地板啊，那又不是篮板？"

　　"拉里·伯德之所以这么做，是因为他认为地板上只要有任何一点受损的地方，球碰到上面都有可能偏离正确的方向。如果能事先知道球在地板上弹起的瞬间会往哪个方向去，对运动员而言也是非常重要的。"

　　"好用心的运动员啊！"

　　"一个星期后的比赛若还是使用同一个场地，他仍然会非常认真地再检查一次地板，因为哪怕只隔了一个星期，场地的地板也有可能受到磨损。"

　　"这种认真精神太让人敬佩了！"

　　"拉里·伯德懂得事先多用一点心在别人都忽略的小地方，并持之以恒地保持这个习惯，而不是事后抱怨场地条件差害他输了比赛，这就是他比别人更成功的地方。比起空有天分却不知道努力的人，那些以认真和勤奋创造成功的人，不是更了不起吗？"

　　"那，你一开始提到的另外一个运动员是谁呢？"

"另外一个运动员是……董事长，要不请您接着说吧？要我把我从您那儿听来的故事当着您的面转述给别人听，这让我感到很不好意思。"阿瑟再次转向乔纳森。

"还是你讲吧，阿瑟。那些故事我也是从别人那儿听来的，而且，我觉得你比我讲得更有条理。"乔纳森微笑着说。

在乔纳森的鼓励下，阿瑟喝了一口柠檬汁，接着讲了下去。

"接下来，我们要讲的是一位棒球运动员——纽约洋基队的明星捕手乔治·波沙达。他是波多黎各人。波沙达小时候的理想就是长大后成为一名棒球运动员，虽然后来他如愿以偿地成了一名棒球运动员，但却只是个默默无闻的二线投手。有一天，波沙达的父亲突然让他尝试着去当一名捕手。"

"为什么突然让他去当捕手呢？"

"波沙达当时也不明白父亲的用意。波沙达的父亲是一名棒球教练，十分熟悉棒球这项运动。父亲对波沙达说，如果他想成为球队里的一线球员，一定要忘掉现在的投手身份，试着成为一名捕手。"

"那就是说，他一切都要从头开始？"

"没错。可当波沙达向教练提出转做捕手的请求时，教练竟然立即叫他离开球队。波沙达只得转入新的球队并顺利地做了一名捕手。"

"天哪……"

珍妮弗心想，万一爸爸有一天也对自己提出这样的要求，那自己会多么难受啊。

"波沙达转做捕手后很努力地训练，经过漫长的训练和等待，终于让大家认可了他是一名出色的捕手。可是，他的父亲这时又提出了新的要求：练习用左手打击。"

　　"这真是太没有道理了。从二线投手转做一名捕手，他已经吃了很多苦头了，现在居然又要求他练习用左手打击！"这匪夷所思的要求让珍妮弗突然觉得波沙达的父亲很讨厌，"怎么可以……怎么可以这样作弄自己的儿子呢？他为什么不一开始就要求波沙达去练习用左手打击呢？"

　　"波沙达向父亲表示自己惯用的是右手，改用左手打击是不太可能办到的事。但是他的父亲这次还是像上次一样，告诉他如果想成为一线球员就必须能用任何一只手打击，让他一定要这么做。"

　　"事情好像变得越来越麻烦了。"

　　"波沙达无奈之下只好开始练习用左手打击。刚开始的时候命中率很低，但是波沙达并没有气馁。他咬紧牙关努力练习，慢慢的，他用左手打击也能有很高的命中率了。"

　　"哇噻，他好棒啊！"

　　"从此以后，波沙达便平步青云。大家都认为他是一个优秀的捕手，因为比赛时他能根据投手的变化，适时地选择用左手还是右手打击并进而击出全垒打。后来，纽约洋基队邀请他加入球队，他在球队里的发挥相当出色：1998年击出十九个全垒打、2000年击出二十八个全垒打、2001年击出二十二个全垒打、2003年击出三十个全垒打。"

"好厉害哟！"

"董事长告诉我，波沙达就是因为选择了跟其他选手不一样的道路，才取得了今天的成就。"

"阿瑟，那是你听完故事之后自己下的结论啊。"乔纳森插话道。

"董事长，我能明白这些道理，全是因为您浅显易懂的说明啊。"

阿瑟和乔纳森相视而笑。

"原来是两个人在成功之前艰苦奋斗的故事啊。"珍妮弗恍然大悟。

"这两个故事告诉我们：'每个人都想成功，但不见得每个人都能成功'。故事里的这两个人，并没有一味盲目地等待成功的降临。为了成功，他们所做的准备比任何人都多。'只有认真、努力做准备的人，才有资格拥有成功这块异常诱人的棉花糖。'这是董事长告诉我的，而这句话已经深深地印在我的心底了。"阿瑟说到这里时，显然有些激动。

"可是，这跟阿瑟叔叔决定辞掉司机的工作去念大学有什么关系啊？"珍妮弗问。

"小姐问的这个问题很犀利啊。董事长，您女儿将来很适合到电视台或者报社工作。"

"阿瑟，我的这个女儿呀，她想做的事情可是谁都拦不住，要她听我的话，我看比登天还难。"乔纳森笑道。

乔纳森的话，让阿瑟和珍妮弗的妈妈都忍不住笑了起来。

"珍妮弗，董事长给我讲的那些故事让我领悟了很多道理，但同时也让我有了一些担心。我是一个早在上高中时就经受不住诱惑、吃掉了眼前的棉花糖的人，像我这样的人真的可能还有一次机会吗？我这辈子是不是只能做一个急着吃掉眼前的棉花糖的人呢？我害怕自己只能是这样的一个人。"

"不过，叔叔的想法终究还是改变了，不是吗？"

珍妮弗冲着阿瑟笑了笑，然后转头看向乔纳森。

"是爸爸让阿瑟叔叔重拾信心的，对吗？"

"没错，董事长当时是这么告诉我的：'阿瑟，如果我认为你是个不值得期待的人，那我又何必讲这些故事给你听呢？看看波沙达，一开始时，他只是一个毫不起眼的二线球员，靠着自己不懈的努力，他后来成了最优秀的球员。一个人能不能成功，关键在于他有没有想要成功的坚定信念。而只有把自己的信念付诸行动，才能迈出通向成功的第一步。'知道自己当下该怎么做，那才是关键。"

说到这里，阿瑟感激地冲着乔纳森笑了笑。

"后来，我明白了：我过去曾经做过什么并不重要，我现在怎么做，才是最重要的。那么，为了明天的成功，今天的我又该做些什么？我曾为这个问题大伤脑筋。"

"你就是为了明天的成功，才决定去念大学的吗？"

"珍妮弗，我并不是一下子就决定这么做的。一开始，我先慢慢地试着改掉自己赚多少钱就花多少钱的习惯，尽量在公司的员工餐厅里吃饭，尽量少喝酒，减少找人打牌的次数。之后，我发现这样做的结果是一年可以省下六千三百块美金。"

"哇，这么多啊！"

"也就是说，长久以来我是多么不懂得节省。一想到这些，我就觉得很难为情。"

阿瑟叔叔从外套口袋里掏出一张纸，拿给珍妮弗看。

"这些天我一直把这张纸带在身上，有空就拿出来看一下。"

珍妮弗好奇地看了一下阿瑟叔叔小心翼翼地从口袋里掏出来的那张纸。

*不要急着吃掉眼前的棉花糖，为了得到更多的棉花糖，必须学会等待。属于你的那个机会，必定会来临。

*战胜诱惑，必定有机会迎接灿烂的成功。

*一块美金每天以倍数累计，三十天后会超过五亿美金。

*如果想从别人身上得到好处，那就先让对方知道自己需要他的帮助。让对方知道你是值得信任的人。

*从别人身上得到好处的最佳方法，便是通过让对方感动，来得到对方的认同。

*持之以恒地走别人不愿走的路，这样的人才可能成功。

*成功并不受制于我的过去，明天的成功取决于今天的我做了多少准备。

"哇，太帅了，阿瑟叔叔！"

珍妮弗将手上的纸还给阿瑟。

"上面说一块美金每天以倍数累积，三十天后就有五亿美金，这是什么意思？"

"哈哈，就是说如果你第一天有一块美金，第二天有两块美金，第三天有四块美金，第四天有八块美金……照这样算下来，三十天之后你就会有五亿三千六百八十七万九百一十二块美金了。"

"真的吗？哇，好厉害啊！阿瑟叔叔已经走在通往成功的路上了，恭喜叔叔！"

"谢谢你，小姐。我该离开了。董事长、夫人，请两位多保重。以后有时间我会再来拜访的。"

阿瑟拥抱了一下乔纳森便往门外走去。珍妮弗无意中听见了阿瑟在临出门时对乔纳森说的话："董事长，您给我的那笔钱我一定会好好使用的。我真的没有想到您会给我那么多钱，您的大恩大德我一辈子都不会忘记。"

不知不觉到了珍妮弗该睡觉的时间了。珍妮弗问帮她铺床的妈妈："妈妈，爸爸为什么要给阿瑟叔叔一大笔钱呢？"

"你爸爸说，他很高兴看到阿瑟叔叔有那么大的改变。他还说，阿瑟叔叔一直都很认真地工作，所以有资格得到那些棉花糖。那些钱是给阿瑟叔叔作为上大学的学费的。如果给一个人一些钱，能为他的人生带来正面的影响，那么这样做是非常值得的。"

"可我喜欢的笔记本爸爸都不给我买，零用钱也舍不得多给我一点……"

　　"哈哈，珍妮弗，爸爸之所以这么做，是因为阿瑟叔叔认真的态度感动了爸爸。要是你也能让爸爸因为你所做的事而感动，我保证你向他要多少零用钱他都会给你。晚安。"

　　妈妈走后，珍妮弗躺在床上闭上眼睛，陷入了沉思。

　　"我最好也设定一个目标，然后再一步一步地去实现。首先，我应该设定一个小目标：这次的期末考试，六个科目中至少五科我要拿A。至于更大的目标，我看我还是多想一想再决定吧。"

有准备的人和守株待兔的人

第五块棉花糖

先这样把网挂好，底下再铺一层厚厚的树叶。

真的掉下来了！

啪

啪

哈哈，成功了！虽然有一个摔烂了，但还有三个是完整的。

先吃掉一个……

剩下的两个就拿去卖钱吧！

真的是那棵峭壁上的柿子树结的柿子啊，我要买一个！

几年后，那棵柿子树下又来了一个人。

啦啦啦

果然不出我所料！

啪

先把种子挑出来。

再把种子种下去，等幼苗长出来。

然后嫁接到别的植物上面……

这就是我培育出来的甜柿王树苗。

都是因为这个人的努力，大家现在才能吃到原本只生长在峭壁上的柿子！

哇，原来是这样的啊！

培育甜柿王的人

改变
爸爸人生的
棉花糖实验

穿了七年的皮鞋

五个星期一晃就过去了，今天是乔纳森送珍妮弗和莉娜去上游泳课的最后一天。这个星期天的晚上，乔纳森又要出差了。

莉娜感谢乔纳森在这段时间里让她明白了许多道理，还讲了有关棉花糖实验的故事给她和珍妮弗听。

"我听珍妮弗讲了阿瑟叔叔的事。不过我最想知道的是，乔纳森叔叔你是怎样获得成功的？你小时候参加的棉花糖实验，又是怎样为你带来成功的呢？

"在那个实验里，一定也有其他小朋友像你一样忍住不吃眼前的棉花糖，然后又多得了一个，但是不见得每一个那样做的小朋友后来都成功了吧。叔叔是怎么获得成功的啊？"

莉娜这么一问，珍妮弗的好奇心也被调动起来。

珍妮弗还在牙牙学语的时候，爸爸的公司就已经很稳定了，所以爸爸是怎样获得成功的，珍妮弗其实一点也不清楚。虽然爸爸曾经说过学生时代的他经常去打工，但是关于自己是如何获得成功的，他却从来也没有提起过。

"我应该比莉娜更早问爸爸这些事情的，为什么之前我没有想到这些呢？"

想到这里，珍妮弗对自己感到有点失望。于是，她赶紧提了一个问题。

"爸爸，爷爷没有留下财产给你吗？"

"没有。不过，比财产更珍贵的是，你爷爷留下了一个很了不起的观念给爸爸。而爸爸呢，现在正在实践这个观念。"

发动车子后，乔纳森开始回答莉娜的问题。

"莉娜，我的父亲是在自己的祖国古巴遭到流放的新闻记者。"乔纳森又转向珍尼弗："珍尼弗，你奶奶的肚子里怀着我的时候，你爷爷就被夺去了一切。我们一家人一无所有，这才流落到美国来。"

"天哪，好惨！"珍尼弗惊讶得张大了嘴巴。

"来到美国后，你爷爷奶奶从事过很多职业，码头工人、餐馆洗碗工、钟点工、大楼清洁员……只要有钱赚，他们什么都肯做。领到了薪水，他们一定会将一部分存起来。你爷爷到美国来的时候，脚上的鞋子已经穿了三年，而他十一年之后才换了一双新鞋。也就是说，你爷爷一直都舍不得丢掉那双旧鞋，坏了就拿去修，修好了再穿。"

珍妮弗一下子想到了鞋柜里自己的鞋子，春天和秋天穿的皮鞋、长靴，夏天穿的凉鞋、拖鞋和运动鞋，林林总总有十几双。

"爷爷既然做过新闻记者，应该可以找到比较好的工作，不是吗？"

"话是没错，珍妮弗。你爷爷刚开始时曾几度把履历表寄给美国的报社，但是他们不认可你爷爷在古巴当过记者的经历，没有报社愿意聘用他。在无计可施的情况下，你爷爷决定重回斯坦福大学。他努力用功念书，靠奖学金完成了学业。我小时候参加棉花糖实验时，你爷爷正在读硕士学位。十三岁时，我找了个送报纸的活。我告诉你爷爷，我要自己赚钱，然后去买自己想要的东西。结果，你爷爷要我先去银行申请一个自己的账户。"

"啊，原来爷爷也是个小气鬼！"珍妮弗轻轻地叹了一口气。

"哈哈，当小气鬼可是我们家的传统啊。等你将来长大了，你也一定会这么做的。"

"难道爷爷只教过爸爸怎样节俭吗？"

"珍妮弗，教育并不是只靠嘴巴说的。你爷爷奶奶努力地做事，脚踏实地地做人，这些都对我产生了很大的影响。你爷爷还总是提醒我，无论做什么事情，都要全力以赴。后来，我努力用功念书，考取了哥伦比亚大学。在大学念书的时候，我一面拿奖学金一面不停地打工，一天睡不到五个小时，最终读到MBA。"

"那你毕业之后找到了什么样的工作呢？"莉娜的眼神里充满了好奇。

"哦，这个我知道。那家公司叫杰鲁斯，对不对？我们家的客厅墙上挂了一面杰鲁斯公司送给爸爸的奖牌，上面好像写的是'年度最佳员工奖'，对吧？"珍妮弗觉得自己解开了一个难解的谜，一时间有些得意。

"是啊，没错。我在那家公司很勤奋地工作，然后像你爷爷奶奶那样，每次领到薪水都会将一部分钱存起来，一双皮鞋至少会穿上七年的时间。"

珍妮弗低头仔细看了一下爸爸脚上穿的鞋子，突然想起来：爸爸的确不怎么买新鞋子。妈妈和珍妮弗都会经常买新鞋，但是爸爸很少买鞋子。爸爸脚上的这双鞋子，到底穿了几年呢？两年？三

年？男士的鞋子不存在流不流行的问题，所以爸爸的鞋子虽然旧了一些，但看上去样式没什么大问题。

"可是，叔叔并没有就此打住，而是自己出来创业，对不对？"莉娜的心里有好多话想问珍妮弗的爸爸。

有机会能听到当事人亲自讲述从古巴流亡来的贫穷移民者的成功经验，让莉娜感到很兴奋。莉娜很庆幸自己是和珍妮弗在同一个游泳馆上课。

"是啊，有一天有人建议我接手一家面临财务危机的网络公司。这件事情对我个人而言，是个机会，但同时也存在很大风险。"

"爸爸如果继续留在那家公司上班，也一定能有很大成就的，因为爸爸做什么事情都很努力。"珍妮弗插了一句。

"谢谢你，珍妮弗。成为一个受到女儿肯定的爸爸，一直是我的梦想，哈哈。当时，公司里还有好几个同事也有意入股，我这才有勇气放手一搏，再加上我当时正好也想要有自己的事业。长期积累下来的存款，在接手那家公司时帮了我很大的忙。后来，我把在杰鲁斯工作的经验运用在那家公司的经营上，并拟定了完善的营销战略，结果每一次交易都带来很大的收获。日积月累，我们公司的地位越来越稳固。当然，这并不是单靠我一个人的力量就能完成的事。一起打拼的那些同事，是推动我们公司发展的最重要的力量。"

"哇，好厉害！"

虽然乔纳森说起自己成功的历程时轻描淡写，但是莉娜却深切地感受到：那些成功是用许多汗水换来的。

听了爸爸的话，珍妮弗忽然觉得眼前的爸爸是那样的了不起。爸爸的奋斗经历和创业过程，她从来不曾像这次这么仔细地了解过。

之所以这样，不只是因为爸爸总是忙得不可开交，还因为珍妮弗就算和爸爸交谈，大多数的时候也都是在忙着向爸爸要东西，嚷着要买这买那。现在难得有一次和爸爸交谈的机会，旁边却多了一个莉娜。珍妮弗越想越觉得不是滋味。

"啊，怎么回事啊？"

爸爸的车子突然紧急转向左边，接着又回到原来的车道。原来，在乔纳森超车时突然有一辆货车从侧面插进来，乔纳森一时之间慌了手脚。

"真是的，怎么会有人这样开车啊！爸爸，我们赶快追上去狠狠地撞扁它……你给我停车！停车啊，坏蛋！"珍妮弗生气地从座位上跳起来，冲着前面的货车大喊大叫。

莉娜虽然也是惊魂未定，但还是很冷静地微笑着安抚珍妮弗："珍妮弗，要是我们真的追上去撞那辆车子，事情可能会变得更糟糕。你刚才太冲动了。"

"莉娜，要是像他们这样的坏蛋大家都能原谅，这个社会一定会天下大乱的。我们应该追上去狠狠地教训他们才对。"

"珍妮弗，为了教训他们而开快车，可能会造成更大的事故。"

就在珍妮弗和莉娜两人你一言我一语，僵持不下的时候，车子已经来到了游泳馆的大门前。

"好了，两位小公主，快进去吧。等一会儿我来接你们。"乔纳森说。

珍妮弗和莉娜换好泳衣来到泳池边。莉娜用羡慕的目光看着珍妮弗。

"珍妮弗，你的爷爷虽然没有为他的儿子留下万贯家产，但却留下了引导他的儿子走向成功的家训。而你呢，将来不但会传承这个家训，更会接手丰富的财产。你一定会比乔纳森叔叔更有成就的。"

"不是这样的。我很小的时候爸爸就告诉我，将来我只能拿到念大学的学费。他说他大部分财产都会捐给社会团体，我呢，别想多分到一毛钱。"

"不是吧……好可惜啊！"

"我也觉得很可惜，可是钱是我爸爸的，我又能怎么样呢？"

"珍妮弗，如果你想继承你们家的光荣传统的话，我想，你可能也要做好一双鞋子穿七年以上的准备了。"

"不要，我不要。"

珍妮弗忍不住笑弯了腰。虽然她很尊敬爷爷和爸爸，但是说实话，她无论如何也不能认同这种做法。

"我好羡慕你，虽然你爷爷什么也没有留给你爸爸，但至少你爸爸是很成功的人。"

"不对，不对！爷爷也不是什么都没有留给爸爸。有一样东西我爸爸是非常珍惜的，那就是我爷爷留给他的一张破旧得有些泛黄的纸。"

"一张纸？是什么贵重的文件吗？"

游泳教练挥了挥手，示意她们两个快过去。两个人快步来到教练面前，做完了热身操之后就下水去游泳了。

游了一会儿，两人又在水里接着之前的话题聊了起来。

　　"那到底是什么啊？藏宝图，还是古巴老家的地契？"莉娜问。

　　"都不是。我只知道那张纸上写着一个故事，是一头狮子和一只瞪羚的故事。"

　　"狮子和瞪羚？"

　　"对。我记得那张纸上写着：'非洲的狮子要永远跑得比瞪羚快，而瞪羚则一定要跑得比狮子快。不管你是狮子还是瞪羚，只要天一亮，就应该全力以赴向前跑。'我爸爸说那是爷爷写给他的。"

　　"哦，我猜，那大概是你爷爷留给你爸爸的让他勤奋学习、努力工作的训示吧。"

　　"爷爷留给爸爸的遗产里面，我觉得就数那张纸最宝贵。"

　　"很了不起的遗产，你觉得呢？"

　　"可我还是宁愿我爸爸多留给我一些股票或是现金之类的比较实际一点的东西，哈哈……"

　　"嘻嘻……"

　　从游泳馆回家的路上，两个女孩开始结算摆地摊所赚得的钱。

　　"收入越来越少了，最近来游泳馆的那些小孩子，似乎对我们的饰品越来越没有兴趣了。我看，以后就不要在游泳馆门口摆摊子了。要不这样吧，我们做生意的时间就改成每个月一次好了。"珍

妮弗一边数着手上的钱，一边提出新的经营策略。

莉娜听了颇有同感地应和道："你说得很对。我也觉得我们该转移阵地了，我们必须开发新的客源。"

见两个女孩的谈话似乎告一段落了，乔纳森趁势打开了话匣子。

"莉娜，这几天跟你聊天聊得很愉快。希望下次有机会，我们再好好地聊一聊。"

"好，我很期待那一天。乔纳森叔叔，跟您交流让我受益颇多。谢谢您！"

"爸爸，我现在有一种爸爸是老师，我和莉娜是学生，你的课结束了，我们要下课了的感觉。"

珍妮弗感到意犹未尽。她原本以为，比起别人家，自己和爸爸算是交流频繁的了。谁知，完全不是这样。不过，她很高兴能通过这次机会，和爸爸聊了平时不曾聊到的话题。

"我还有一个疑问，爸爸。你是不是还教了阿瑟叔叔其他的成功法则啊？"

"这个嘛……其实，并不是每一次都有具体的法则可以说给想要成功的人听。况且，即使知道了成功法则，你也不一定会成功。不过，我倒是跟阿瑟讲过一件事，那就是'三十秒法则'。"

"三十秒法则？"莉娜和珍妮弗异口同声地说道。

"在公司里，我总是不厌其烦地告诫员工，一定要遵守三十秒法则。我告诉他们，不论他们多聪明、多有能力，或是有着多么出色的外表，如果不能遵守三十秒法则，想要成功都是不可能的。"

"三十秒法则究竟是什么啊？"

"大家都认为三十秒不过是一瞬间，但是有些人却因为这三十秒而改变了整个人生。"

"爸爸的意思是指'五秒钟换来五十年岁月'？"珍妮弗调皮地笑着说道。乔纳森听了爽朗地笑了起来。

"差不多是那个意思。我们每个人总是会面临在一瞬间就要做出决定的情况。我想告诉你们的是，在必须决定某件事情的那一瞬间，一定要多考虑三十秒。我并不是叫你们犹豫不决，而是让你们一定要多花三十秒钟的时间弄清楚自己真正的想法。"

"该弄清楚什么呢？"珍妮弗褐色的眼睛瞬间亮了起来。

"我想告诉你们的是，你们所做出的决定，会影响你们将来的人生方向，所以一定要慎重才行。"

"三十秒法则，能帮助你们正确地经营你们的人生。举个例子吧，假如我见到一个人正兴奋得手舞足蹈，我第一个反应一定是'啊，这个人很情绪化'。你对他做出这样的评价后，很可能就不想跟他做进一步的接触了。但是，如果你多观察这个人三十秒，可能会发现原来他并不像你所想象的那么情绪化，他只不过是容易热血沸腾而已。如果是这样的话，他的热情就说不定会成为你的人生或是你的工作上的助力。不管是面对什么事情，如果能够多思考三十秒，就很可能会改变你的决定，甚至改变你的人生。"

"那么，当我们想要吃掉棉花糖的时候，也应该多考虑三十秒。为了自己的将来，是该马上就吃掉眼前的棉花糖呢，还是先等一等再吃？在我做出决定时，我应该多考虑三十秒。我懂了，以后我也会这么做的。"珍妮弗似乎悟出了什么。

莉娜接着说道："放学回家后，是应该先打开电视，还是先去做功课呢？"

"三十秒。"

珍妮弗一边盯着手上的腕表，一边笑着轻轻敲打着莉娜的手臂数秒数。

"哇，三十秒居然这么久啊！"

这时，车子已经来到了莉娜家门口，乔纳森伸出手去和莉娜握手告别。

"莉娜，千万要记住：书，是这个世界上最富有营养的粮食，这是不需要多想三十秒就能确定的事。"

"好，我会记住您说过的话的。等我将来成功了，我一定会在我的自传里好好表达对叔叔的感谢的。"

珍妮弗也很以爸爸为荣，对爸爸说："莉娜一定会把爸爸说过的话放在心里的。"

"那会是我莫大的荣幸！好了，我们也该回家啦。今天我想早一点回家，陪你妈妈看她爱看的舞台剧。"

"可是，看那个很无聊啊。"

"其实我也不是很喜欢，如果是音乐会的话，还勉强可以。"

"那我们回家告诉妈妈，说我们今晚想看音乐会。"

"不行，在我出差之前，我希望能陪你妈妈一起看她喜欢的舞台剧。"

车子刚停好，爸爸就迫不及待地往家里走去，一边走一边大声说："太太，我今天特意早回来陪你看舞台剧。今晚要看什么呢？《卡门》，还是《魔笛》？"

妈妈和爸爸看舞台剧的时候，珍妮弗在一旁回想着自己做过的决定得太仓促，事后又感到后悔的事情。

上次月考前没有好好温习功课，跑去看电视，结果考得一塌糊涂；有一次，一时冲动买下一件过分花哨的上衣，把那件衣服塞进衣橱后，就再也没有拿出来穿过；还有一次，不知怎么想的，竟然把头发染成了金黄色，事后却又觉得不适合自己，又染成深栗色，结果把发质都弄坏了；有一天，班上有个同学戴了牙套来上课，想也没想就嘲笑人家"你的牙齿用栅栏围起来了啊"，惹得那位同学很生气；最可笑的一次是，为了一个长得很帅的男生，不顾后果加入了剑道社，却发现那里的生活乏味无聊，整整一个学期都过得很苦闷……想想以前做过的那些傻事，珍妮弗越想越觉得羞愧。

晚餐的时候，珍妮弗小声地对爸爸说："爸爸，今天下午你说的那个三十秒法则怎么不早点教我？现在回想起来，我真的是有太

多时候都太急着做决定，事后又后悔得要命。要是当时我多考虑三十秒再做决定，我想我现在就不会这么懊恼了。唉，我真的是做了太多的蠢事！"

"珍妮弗，其实你根本就不需要在意你已经做过的事。因为，对你来说，重要的是以后怎么做。"看到珍妮弗愁眉不展的样子，妈妈觉得自己有必要安慰一下她。

爸爸也附和道："你妈妈说得很对，更何况你还小，将来机会多的是啊。"

珍妮弗顿时感觉轻松了许多。

"妈妈，我还要再吃一点焗烤洋芋，要多浇一点酱汁啊。"

瞪羚与狮子

我是非洲瞪羚。

生活在非洲这个地方，唯一的生存之道就是拼命地跑。每天早上从睡梦里醒来……

警报

警报

瞪羚知道自己必须比狮子跑得更快才能活命，所以每天都很努力地奔跑。

快跑！
快跑啊！

第六块棉花糖

找到好朋友的
靛蓝色棉花糖

HAPPY BIRTHDAY

如何收获好人缘

暑假马上就要到了，珍妮弗班上的同学除了准备期末考试外，还不时地讨论起暑假计划来。

珍妮弗早就安排好了，她打算一放假就跟爸爸到爷爷的故乡古巴去玩两个星期。

在去音乐教室上音乐课的路上，听说了珍妮弗的暑假计划的达内尔走到她身边说："想要痛痛快快地玩一个假期的人是不会想要去古巴的，除非你想去那里捡古董。听说，那个国家到处都是古董。"

达内尔一副看不起人的样子。

"那你又是怎么安排暑假的？"珍妮弗反问达内尔。

达内尔骄傲地说道："我啊，我要跟我爷爷一起坐着豪华游轮，去加勒比海玩十五天。每天都会有意大利厨师帮我们准备美食，真是太爽啦！"

"听起来真的很棒。这真是一个了不起的暑假计划！"莉娜不由得感叹起来。

对于莉娜而言，班上那些能到国外度假的同学，是那么的让人羡慕。而莉娜自己呢，不要说是去国外游玩了，连自己国家的很多地方她都不曾去过。

不过，珍妮弗却知道，达内尔所说的话全是骗人的。

"我的天哪！我听妈妈说，达内尔的爷爷在市立养老院里已经住了三年，老得连自己的家人都不认识了。达内文竟会说出这样的谎话！"

这些话，珍妮弗差点就脱口而出，不过她最终忍住了。据说，达内尔的爷爷从海军退伍后，把所有的退休金都输在了一场赌局中。达内尔的妈妈是珍妮弗的妈妈常去的健身俱乐部的会员，自从知道各自的孩子是同班同学后，两位妈妈就成了好朋友。可达内尔还不知道自己的妈妈和珍妮弗的妈妈，一个星期至少会见一次面，每次见面都会在一起聊天。这也难怪，有不少男孩子都觉得跟自己的妈妈没什么好聊的。

珍妮弗本想当场揭穿达内尔的谎言，但还是忍了下来。如果当着班上同学的面揭穿达内尔，同学们一定会说达内尔是骗子。这么做似乎很残忍。谁知道呢？说不定达内尔只是在开玩笑。珍妮弗对自己忍住没有当面给达内尔难堪的做法很满意，自己都觉得自己很了不起。但是，也不能就这样任由达内尔没完没了地说谎。

大家离开音乐教室的时候，珍妮弗走到达内尔身边，小声说："爷爷病得那么重，你一定很伤心吧？我想，你爷爷一定也很想给你那么棒的暑假。我能理解你的苦衷。"

听了珍妮弗的话，达内尔突然停下脚步，对珍妮弗大声咆哮起来："你不要太得意，珍妮弗！"

看见达内尔气急败坏的模样，莉娜诧异地问珍妮弗："达内尔干吗对你吼啊？"

"我哪知道啊，大概是他觉得自己理亏吧。"

"理亏？他做了什么事情理亏啊？"

"我也不清楚。"

几天后，班上的同学议论纷纷，说真的有同学要在游艇上举办生日派对。

"你听说了吗？亚里莎要在游艇上开生日派对啦！虽然听说并不是什么豪华的游艇，可毕竟是一艘真的游艇啊！到时候亚里莎会邀请大约二十位同学参加派对。大概游艇不是很大，请不了太多的人吧。老实说，我倒是很希望能被邀请参加派对。你不觉得很棒

吗？在一望无际的大海上举办派对。"

莉娜沉浸在对海上派对幸福的想象里，用手指不停地扭卷着头发。

"亚里莎的父母这么做是不是有点太夸张了？太宠孩子了吧？我听大人说，如果放任孩子从小就养成挥霍无度的习惯，会毁了孩子的一生。"

"听说亚里莎的父母之所以要为她举办这次生日派对，有一个很特别的原因。过一阵子，亚里莎的爸爸要调动工作，亚里莎全家要搬到阿尔及利亚去，所以她的父母才会帮她举办这么特别的生日派对。"

"阿尔及利亚？那不是在非洲吗？的确是有一点远。不过，亚里莎念大学的时候还会再回来吧，有必要这么铺张吗？这么浪费钱，还不如把钱捐出去，帮助非洲那些饥饿的难民呢！"

果然，没过多久，亚里莎就发了邀请函给班上的同学。莉娜和达内尔都受到了邀请，单单珍妮弗没有。珍妮弗听班上的同学说，亚里莎一共邀请了二十位同学参加派对。

珍妮弗气愤极了——她和亚里莎连续三年都在同一间舞蹈教室里学跳舞，怎么说也有点交情。起初珍妮弗还以为亚里莎会晚一点寄邀请函或打电话来邀请她。谁知，她等了整整一天却什么也没有等到。收到邀请函的同学你一言我一语，兴致勃勃地讨论该打扮成什么样子去参加化装派对。由于派对是在海上举行的，因此几乎所

有的人都认为应该打扮成海盗的样子。

"听说派对上的美食全都是海产品，好像还有生鱼片呢！是亚里莎的舅舅亲自为大家准备的。真棒啊！亚里莎还说，她爸爸为大家准备了烟花表演，让大家可以在大海上欣赏美丽的烟花！"

莉娜以为珍妮弗也收到了邀请函，所以在跟珍妮弗一起吃午餐时，兴高采烈地谈论着游艇派对的事。珍妮弗一句话也不说，只是默默地大口大口地咬着手上的三明治。这样也就罢了，珍妮弗的身后还传来达内尔掩饰不住兴奋，向坐在旁边的丹尼斯解释头巾用法的声音。

莉娜兴奋地问珍妮弗："你打算穿什么啊？女海盗应该穿什么呢？是不是该去买一个独眼龙眼罩啊？戴起来应该很不舒服吧？"

珍妮弗终于忍不住了，她大声喊道："你爱穿什么穿什么，我根本没兴趣知道你想穿什么！"

说完，珍妮弗拎起自己的午餐袋坐到了别的座位上。在坐下的一瞬间，珍妮弗意识到自己太冲动了，但是

她并不想向莉娜道歉。

在家里准备期末考试时，珍妮弗还是不时地想起游艇派对的事。

"亚里莎为什么没有给我发邀请函呢？莉娜有邀请函，就连骗子达内尔也收到了邀请函，为什么偏偏只有我没有？我看一定是莉娜向亚里莎告密，说我在背后说她的坏话，所以她才故意没有给我邀请函的。真是气死人了，哼！"

想到这里，珍妮弗突然觉得莉娜变得很讨厌。就在珍妮弗决定再也不跟莉娜说话的时候，她突然想起了爸爸说过的"三十秒法则"。

"和朋友绝交这种大事，我应该先好好地考虑三十秒。"珍妮弗自言自语道。

在三十秒钟的时间里，各种各样的想法掠过了珍妮弗的脑海。虽然珍妮弗现在觉得莉娜很可恶，可真要跟她绝交，还是会觉得可惜，因为她其实是个不错的朋友——莉娜有很多优点。再说，少了朋友的人生太空虚了，那种感觉像是做什么事情都不可能成功似的。

"如果身边的朋友都不关心我，那么我该从什么地方得到别人的认同呢？"珍妮弗问自己。

珍妮弗非常希望马上就能化解自己和同学之间的那种生疏的感觉，准确地说，是不想遭到班上同学的排挤。珍妮弗一想到自己目前的境遇，就觉得这样的自己太丢脸了，甚至都不好意思就这事找爸爸妈妈征询意见。

"也许，我应该对我的同学友善一点。可是，要怎样做才能让别人感受到我的善意呢？"

珍妮弗左思右想，苦恼了很久，最后终于决定拿自己所有的存款去买十五个最近人气很旺的卡通人偶钥匙圈。那是一个带有钥匙扣的小饰品，可以扣在书包或是钱包上。这种人偶钥匙圈是最新的人气商品，很多孩子都喜欢。为了买这种人偶钥匙圈，珍妮弗一共花了四十五块美金。

四十五块美金……这些钱要卖多少个小饰品才能赚回来啊！珍妮弗安慰自己：这样做是值得的。

第二天来到学校后，珍妮弗把人偶钥匙圈一个一个悄悄地送给了班上的同学。同学们虽然都有些丈二和尚摸不着头脑，但大家还是很高兴地收下了。为了表现自己的气度，珍妮弗还决定送给亚里莎一个。

"大不了等以后有机会的时候再去参加游艇派对，对了，妈妈答应过我，在我过十六岁的生日时会帮我办很棒的派对，到时候就要求妈妈给我办一个游艇派对。反正亚里莎的生日派对我已经参加过两次了，这次换其他的同学去开心一下其实也不坏。"珍妮弗自我安慰地想。

　　放学后大家排队准备上校车的时候，珍妮弗将握着人偶钥匙圈的手伸到亚里莎的面前："亚里莎，这个送给你。"

　　"这是什么？"亚里莎不屑地接过钥匙圈。

　　"嗯……我多买了几个，觉得很可爱，所以想送你一个。"

　　"还不错。你也像我一样有钱没地方花吗？"

　　"啊？"

　　"那天你跟莉娜说的话我都听见了。你不是说我有钱没地方花吗？下次你在讲别人的坏话之前，最好先看看前后左右。我开生日派对用的游艇，是我叔叔知道我们全家要搬到阿尔及利亚去的消息后，特意向他的一个朋友借来的，但只能用四个小时。那天用来招待大家的食物，是我妈妈亲手准备的。还有，那些烟花是我爸爸从一个熟悉的爆竹商那里用很便宜的价钱买来，打算在派对上表演烟花秀用的。你为什么要批评说这是奢侈的派对？我本来是拿了一张邀请函去给你的，却正巧听见你把我说成是一个乱花钱、爱大肆铺张的小孩。听到这些话后，我想你可能不会有兴趣来参加我的派对，所以干脆就把邀请函送给达内尔了。听说达内尔今年暑假要到他爷爷住的养老院里去做两个星期的义工，所以这次派对，我决定请他担任船长的角色。"

　　"是……是吗？"

听完了亚里莎的话，不知道为什么，珍妮弗有一种很心虚的感觉。

"即使你不送这些小东西，也没有人不知道你是有钱人家的女儿。我看你还是去送给那些跟你不熟悉的人好了，我不想要。"

亚里莎把钥匙圈丢进珍妮弗的书包里，然后头也不回地径自上了校车。

珍妮弗茫然地回到家里，把课本从书包里拿出来摊在桌上。可是头痛得实在太厉害了，她根本没有办法好好温习功课。

这时，莉娜打来了电话。

"珍妮弗，你今天为什么要送大家钥匙圈呢？"

对于莉娜的问题，珍妮弗不知道该怎么回答。

"我后来才知道不只是我收到了钥匙圈，班上的同学每人都拿到了一个。这到底是为什么啊？今天是你的什么纪念日吗？"

"不是的，我只不过是觉得那种人偶钥匙圈很漂亮，所以才想要送给你们的。"

"珍妮弗，我不知道该不该告诉你，因为你突然毫无理由地送大家礼物，今天班上的同学说了你很多不太好听的话。有人说，你是因为没有收到亚里莎生日派对的邀请，所以才故意这么做的。一开始我以为你也收到邀请了，对不起。"

"哎呀，大家干吗都这样冤枉我啊？我只是……唉，算了。如果没有别的事，我把电话挂了。"

"那好吧，明天学校见了。"

莉娜大概也觉得有些尴尬，便挂断了电话。

珍妮弗头痛得越来越厉害，没法做作业，只好起身来到楼下。

自从爸爸出差后，家里显得很冷清。

"妈妈，家里有治头痛的药吗？"

妈妈看见珍妮弗惨白的脸色吃了一惊，急忙放下手上的活，拧了一条毛巾给珍妮弗。

"你怎么啦？刚才吃晚饭时也吃得那么少，是不是哪里不舒服？快回房间去躺下来休息一下吧。"

"我只是有一点儿头痛。"

"是不是因为要准备期末考试而太累了呢？"

"我想，应该不是因为准备考试的原因。"

珍妮弗的眼眶里不由自主地充满了泪水。

"亲爱的，发生了什么事？什么事情让你这么伤心？"

"妈妈，我不知道为什么班上的同学都那么讨厌我。我从来不欺负人，也很爱干净。可是，班上的同学就是没有几个人喜欢和我做朋友。我真的不知道为什么会这样。"

听完珍妮弗的话，妈妈轻轻地抱住了她。

"每个人都可能会犯错。你是不是无意中伤害了同学们？"

"我才没有呢。可是班上的同学却莫名其妙地用异样的眼光看我，讨厌我——不，是排挤我，是他们不可理喻。为什么他们都不想跟我做朋友呢？我到底是哪里不好？"

珍妮弗说着说着，豆大的泪珠掉了下来。

"珍妮弗，如果同学们对你有了什么误会，那就表示你必须承受误会的后果。"

"我是真的很想跟他们好啊。"

珍妮弗忍不住扑到妈妈的怀里号啕大哭起来。

妈妈带着珍妮弗来到二楼的房间里，先让她在床上躺下来，然后温柔地抚摸着她柔软的发丝，轻声说道："珍妮弗，我不知道你到底遇到了怎样的困难，不过，我希望你能明白，与同学们的友情是需要用心经营的。"

"我做过很多努力啊。"

"当然，我知道你一定做过努力，但如果你努力的方法不对，同学们一样还是不会接受你的。想想看，同学们用什么样的态度对你会让你感到愉快？同样，同学们也一定希望你那样对他们。"

"我希望能搬离这里，那样的话，一切就都可以重新开始了。"

"珍妮弗，妈妈并不认为这是最好的办法。要是你在这里能够和同学们友好相处，那么你到哪里都能做得很好。同样的，如果你在这里无法妥善地经营人际关系，那么你在其他地方也不会有什么不同。

"妈妈给你讲一个故事。从前有一位国王，他有三个儿子。国王一直很苦恼，不知道该把王位传给哪一个儿子。于是，国王吩咐他的手下用假的石头堵住了一条两侧都是悬崖的小路。"

"为什么要用假的石头呢？"

"故事的最后会告诉你的。那条小路是通向邻国的路。随后，国王命令三位王子分别送信去给邻国的国王。"

"路都被堵住了，怎么去呢？"

"大王子想到的方法是，爬过那块大石头去给邻国的国王送信。二王子则选择绕道而行，走其他的路去送信。可是，最先送完信回来的人是三王子。"

"他是怎么办到的呢？"

"三王子告诉国王：'我推了一下石头，石头就滚到悬崖下面去了，所以我是走原路去的。'"

"对呀，石头是假的，所以只需要轻轻一推就会掉下去的。"

"国王问他怎么会想到要推开那块大石头的，三王子是这么回答的：'既然石头挡住了去路，当然应该先去把石头推开啊，陛下。'"

"哈哈，好可爱的王子。"

"后来，国王就决定把王位传给勇敢面对困难，并且想办法解决问题的三王子了。"

"我明白了，妈妈。"

妈妈吻了吻珍妮弗的额头，离开了。珍妮弗躺在床上想了很久。爸爸出差之前，让珍妮弗明白了一个道理，那就是遇到困难时必须自己想办法解决。而妈妈刚才所说的那个故事，其实揭示的是同样的道理。面对困难时不可以逃避，而是要想办法解决。说不定，困难其实并没有想象中的那么难克服。

"妈妈说得对。在找到好朋友之前，我应该先成为别人的好朋友。没错，我应该可以的。"

珍妮弗想到了一些可以跟同学们搞好关系的方法，并把它们一个一个地写在了纸上。

1. 对达内尔的义工活动表示鼓励，该怎么做？

2. 帮助亚里莎准备生日派对，用哪一种方式？

3. 关于冲莉娜发脾气的事，明天就去跟莉娜道歉。

4. 再也不可以通过送东西来试图得到其他同学的认同。

5. 以后要耐心地把同学想说的话听完，多替同学着想。

6. 可以试着邀请别的同学一起准备考试。

第二天，向莉娜道歉的事情很顺利就做到了。珍妮弗又找到了达内尔。想到达内尔之所以会说谎，完全是因为自己的关系，珍妮弗就很过意不去；又想到他对其他同学如实告知暑假去当义工的事而不告诉自己，珍妮弗又觉得达内尔很讨厌。不过，珍妮弗还是忍住不生气，小心翼翼地切入了话题。

"达内尔，我听说你打算在暑假里去养老院当义工。如果你需要别人帮忙的话，我有一个星期的时间可以去帮忙，到时候你可以找我吗？帮忙摆餐桌或者整理床铺，我想我应该是不会有问题的。"

"你？你这个千金小姐会去养老院当义工？"

"我爸爸的确是很有钱，但我没有。我希望自己通过努力也成为一个成功人士。"

"可你要去古巴度假啊。"

"是啊，我确实要去那儿找古董。不过，去那里之前我有一个星期左右的时间。"

"你真的想当义工？"

"是的。我们将来想要取得成功，就必须有多方面的经验才行。"

达内尔半信半疑地看着珍妮弗。

"家里有孙女的爷爷奶奶特别喜欢有小女孩到养老院里去探望他们，因为他们都把那些小女孩当成是自己的孙女看待。"

"那我就用一个星期的时间当他们的孙女吧，我有信心扮演好爱撒娇的孙女这个角色。"

　　"那好吧。我帮你申请看看。"达内尔的脸上露出了满意的笑容。

　　珍妮弗长出一口气,感到无比的轻松自在。接下来她要去找亚里莎,告诉亚里莎自己很乐意做一些海盗头巾或其他的道具,借给她在生日派对上用。等派对结束之后,她会拿回那些道具去摆地摊，也算是生意重新开张。

当天晚上，珍妮弗给爸爸写了一封电子邮件。

爸爸：

您在那里一切还好吗？

我最近想了一些可以帮班上同学做的事，并且正在很努力地去做。

而且，我还打算在这次期末考前找其他同学一起温习功课呢！

写到这里，珍妮弗突然感觉到终于有信心去拉近和班上同学之间的距离了。

高山流水觅知音

俞伯牙能弹得一手优美的古筝。

钟子期经常十分投入地聆听这位朋友弹奏古筝。

何不饮一杯酒助兴？

令人叹为观止啊！那高昂的琴声让人仿佛看到在眼前出现了一座高耸的山峰。

然而……
钟子期死了。

此生最遗憾的事，莫过于再也听不到伯牙弹奏古筝了。

世上唯一了解我的朋友不在了……

既然世上再无知音，不如绝弦以终！

俞伯牙伤心欲绝，毅然决然地摔断了心爱的古筝，从此封琴。后来，世人就以"知音"一词来形容知心朋友。

"知音"，原本指能够听出音乐的意境的意思。

第七块棉花糖

减肥妙药，
紫色棉花糖

不一样的珍妮弗

期盼已久的暑假终于到来了。按照事先跟达内尔做好的约定，珍妮弗就要到养老院去当义工了。珍妮弗要到养老院当义工的事，让她的父母感到很意外。

义工培训结束后，珍妮弗希望妈妈能帮她做一件漂亮的围裙。

"你做义工一天要工作几个小时？"刚出差回来的爸爸，关心地问道。

"一天要工作三个小时。我负责的工作是帮助餐厅工作人员做午餐前的准备工作。我需要帮忙摆餐桌，帮养老院的爷爷奶奶换衣服，然后扶他们到餐厅里用餐。有些爷爷奶奶行动不便，我还要帮忙把午餐拿到他们的房间，然后一口一口地喂他们吃饭。培训我们的叔叔阿姨说，还有一个很重要的工作是陪爷爷奶奶们聊天。养老院里的爷爷奶奶们都很喜欢有人陪他们说说话，所以，去帮忙准备午餐其实是附属性的任务，最主要的任务还是陪他们聊天。"

珍妮弗表示自己有信心做好一个聆听者。

"每天要工作三个小时，那么六天下来一共是十八个小时。珍妮弗，既然你那么辛苦地劳动，我想我也该给你一点儿零用钱以示鼓励。你难得这么自动自发地去关心那些需要被关心的人，爸爸很感动，你应该获得更多的棉花糖。"

"哇！真的吗？谢谢爸爸。"

这完全是意外收获。珍妮弗兴奋极了，想，爸爸多给的零用钱就拿来补上上次为了买人偶钥匙圈而花掉的钱吧。

"对了，亲爱的，我也有事跟你说。既然我每天都要开车送珍妮弗和达内尔到养老院去，我想我不如就干脆也留在那里帮忙，比如帮他们洗洗衣服什么的。所以，我也该得到一些零用钱。"珍妮弗的妈妈插话道。

"这样啊？那么，我就补贴你油钱好了。你不像珍妮弗那样是自动自发地想到要去做这件事情，我想这样的津贴应该就够了。"

"好不公平啊。"

爸爸和妈妈两个人互相开着玩笑，笑得很开心。

在养老院做义工，比想象中要辛苦一些。有机会在一起工作后，珍妮弗逐渐了解到，原来达内尔是个很有耐心又很成熟的小孩。工作时的达内尔，和在学校时比起来简直是判若两人。达内尔在养老院最受欢迎的义工排行中，居然是第一名。达内尔总会提前看些幽默小品或简短的故事，到养老院后再把自己看到的内容声情并茂地讲给爷爷奶奶们听，逗得他们笑个不停。达内尔在养老院里还是个广受好评的聆听者。不过，他有时不免会为自己的爷爷不认得自己而感到难过。

"我从来不知道达内尔原来是这么懂事的孩子，看起来完全不是他妈妈所担心的那样。大家都说妈妈是最了解自己的孩子的人，看来这种说法不见得正确。"

由于天天接送达内尔，珍妮弗的妈妈对达内尔有了进一步的了解，禁不住对他赞誉有加。

在做义工的一个星期里，珍妮弗负责的工作是照顾露易嘉奶奶。露易嘉奶奶有一头充满光泽的黄褐色长发。她非常爱惜自己的头发，只要一有空，就会用自己那双因为年老而颤抖的手，仔细地梳理自己的发丝，然后对着镜子把头发挽起来。

一开始，露易嘉奶奶不太答理珍妮弗，对珍妮弗说的话也没兴趣听。珍妮弗唯一能做的就是在用餐的时候，用餐刀帮露易嘉奶奶

把盘子里的肉切好，然后一口一口地喂给她吃；或是把水倒在杯子里端给她喝。可是，露易嘉奶奶的胃口似乎不是很好，每一次用餐的时间都很短。吃完饭后，她就会急着把珍妮弗打发走。

"谢谢你啊，你可以走了。"她总是这么说。

珍妮弗很想当一个爱撒娇的孙女，可是，露易嘉奶奶根本不给她机会。

"是我哪里做得不对吗？为什么连这种小事我都没有办法搞定呢？"

珍妮弗真的很希望能够和露易嘉奶奶愉快地相处。

第三天中午，露易嘉奶奶像往常一样，吃过午餐后就急着把珍妮弗打发走。

"谢谢你啊，你可以走了。"

"露易嘉奶奶，您喜不喜欢发卡？我带了一些发卡来，您要不要挑一只？"

为了制造话题，珍妮弗特意从家里带来一些已经不再流行的发卡。她从之前做生意时卖得不是很好的发卡里，挑了一些露易嘉奶奶可能会喜欢的。

看到这些发卡，露易嘉奶奶的眼睛顿时为之一亮。

"哈，你真像沿街兜售小东西的商人哪！我来看看，这些发卡都很漂亮。这些老式的发夹你是从哪里找到的啊？最近很少有人卖这些东西了。"

"是我向邻居阿姨要来的。最近我一直在卖这些东西。您说我像商人，我想，我大概是遗传了我爸爸的生意头脑。"

"哦，原来是这样。我父亲从前也是个商人，卖帽子的，他有很多很漂亮的帽子。现在再也找不到那么好看的帽子喽！在我小的时候，女人家想到外面做生意是很难的，尤其是像我这种胆小的女孩，做生意根本连想都不敢想。"

露易嘉奶奶挑了一个镶了很多珠子的粉红色发卡。

"这个很不错，要多少钱啊？"

"不要钱，露易嘉奶奶。这些是我为了送给奶奶而特别带来的。您再挑一个吧，用漂亮的发卡把头发夹起来，会更漂亮哦！"

"我有的是钱。"

"其实是因为这些发卡都不太好卖，所以我不能跟您收钱，呵呵。"

看到珍妮弗笑得有些不好意思，露易嘉奶奶也跟着笑了。

"那么，你卖得最好的是多少钱？我就照那个价钱买下这个吧。"

"来养老院当义工的人是不可以兜售商品的，那样做是违反规定的。露易嘉奶奶，您就收下吧，没有关系的。"

"说得也是啊，我们也不能拿钱给来这里当义工的人，那也是违反规定的。那我就收下了，就拿这个好了。到了我这把年纪啊，要是拿得太多就是贪心了。可是，我又该拿什么来跟你交换呢？我来看看……唉，我找不到适合你这个小姑娘的东西。如果我还年轻的话，我至少可以亲手烤个饼干什么的。现在啊，人老了，手抖得厉害，连铲子都拿不稳了。"

露易嘉奶奶的脸上悄悄地蒙上了一层落寞。珍妮弗赶紧拿起一个镶着紫色人造宝石的发卡，想要哄她开心。

"奶奶，您看这个漂亮吧，我帮你夹在头发上好不好？"

"我的小镜子放在哪儿了？"

在珍妮弗推荐的几个发卡中，露易嘉奶奶挑出了两个最中意的。

"以后，我每个月都来帮您把这两个发卡换成新的。这样一来，奶奶就会觉得每天都有新气象。"

"谢谢你啊，孩子。"

终于跨越了和露易嘉奶奶之间的鸿沟，珍妮弗感到很高兴。从那以后，每一次见面时，露易嘉奶奶都会为珍妮弗讲一些自己小时候的故事，有时还会回忆高中时参加过的舞会。

几天后，珍妮弗顺利地完成了在养老院当义工的工作。要离开的时候，露易嘉奶奶抱着珍妮弗依依不舍。珍妮弗答应露易嘉奶奶，一结束在古巴的度假，一定马上来探视她。

珍妮弗临上飞机前，达内尔送了一个口琴给她。

"祝你一路顺风，珍妮弗。你到了那里，要是觉得无聊的话可以练习吹口琴，挺好玩的。"

"谢谢！因为你，我才能有这些宝贵的经验。"

在飞往古巴的飞机上，珍妮弗和爸爸聊起了在养老院当义工时所获得的经验。

"珍妮弗现在终于找到了和别人交流的方法，很厉害哦！"爸爸欣慰地说。

"我现在明白了，任何事情只要肯用心去做都是可以做成的。我学会了怎样和露易嘉奶奶相处，学会了怎样过集体生活。虽然今年我没能拿到亚里莎生日派对的邀请函，但是亚里莎很感激我能借给她那些派对用的道具，所以我们后来和好了，还一起温习功课呢。我们在一起温习功课的时候，亚里莎跟我说，这是她在这里的最后一次月考，所以希望能够考出好成绩。"

"不管是什么样的测验，都需要尽心尽力地去准备。等一等，你确定要一次吃完吗？"说着，爸爸突然瞪大了眼睛。

珍妮弗连想都没想，就把飞机上给乘客提供的花生——自己的那份连同爸爸妈妈的那两份都吃完了。而且，吃饭时，她还跟乘务员多要了两个面包。她给它们涂上一层厚厚的奶油，然后都吞下了肚子。

"这种面包实在很好吃！"珍妮弗吃完后，还意犹未尽地夸了一句。

"珍妮弗是不是要长个了呀？"爸爸说。

听到爸爸的话，妈妈附和着说道："最近我们家珍妮弗的食量变得很惊人。再这样下去，我真担心她个头还没长高，倒先胖起来了。"

"我们班上其他的同学也都是这样啊。妈妈，那个桑葚酱，如果你不吃就给我好了。"

在古巴美丽的海滨，珍妮弗学会了冲浪。可是，每次她都会被呛到，弄得嘴巴里都是海水的咸味。

每天到了夕阳西下该吃晚餐的时候，海边的沙滩上都会摆满烤肉、新鲜水果和其他美味佳肴，令人眼花缭乱。

由于工作的关系，度假期间，爸爸离开了两天。

"我的天啊，我才两天不在，我的小公主就像气球一样膨胀起来了。"爸爸一回来，就大发感慨。

爸爸的话让妈妈大吃一惊，赶紧把珍妮弗抱起来放到电子秤上。

"哇，怎么会这样？妈妈，这个电子秤一定是坏了。"

"电子秤没有坏，是你变胖了。"妈妈笑着戳了一下珍妮弗的肚皮。

"一定是因为喝了太多的海水的缘故。"

爸爸妈妈看上去似乎很紧张，而珍妮弗却泰然自若。她觉得事情根本没有到需要紧张的程度。

"只不过是因为我的皮肤晒黑了一点儿，大家才会觉得我变胖了。"她这样想。

欢乐的假期结束了，珍妮弗开始整天待在家里无所事事。游泳课早就结束了，而离开学还有好长一段时间。珍妮弗便常常躺在沙发上看小说，偶尔也会端一盘芹菜蘸着色拉酱吃来消磨时光。妈妈有时会叫她别吃太多饼干，珍妮弗便躲起来偷偷地吃。

"对了，你不是跟露易嘉奶奶约好，回来之后要去探望她的吗？"有一天早晨，妈妈问珍妮弗。

"哎呀，差一点儿把这件事忘了。"

珍妮弗从衣柜里找出一件漂亮的衣服，准备换上它去探视露易嘉奶奶。可是，拉链居然拉不上了！

"是不是拉链坏了？"

拉链并没有坏，是因为珍妮弗变胖了，所以拉链才很难拉上。万般无奈之下，她只好找了一件宽松的衣服穿上。

妈妈买了一大束花，让珍妮弗送给露易嘉奶奶。珍妮弗自己也准备了一条在古巴买的山木手环——她在古巴时买了很多东西，打算回国之后摆地摊。这个山木手环很特别，上面刻有精美的雕花。

"珍妮弗，这是怎么回事啊？"露易嘉奶奶一看见珍妮弗，便瞪大了眼睛吃惊地问道。

"露易嘉奶奶，我带了一个漂亮的手环送

给您，您看。"

"我的小姑娘啊，你怎么突然之间胖了这么多啊？"

"是吗？我最近不用上学，游泳课也结束了，所以就胖了一点点儿。"

"好好记住我的话，珍妮弗。才一个月不见，你就胖了这么多，这样下去，将来长大后，你的身体就会有很多病痛。如果身体不健康，你就不能好好读书，不能好好工作，更不可能成功。懂了吗？"

"嗯，这个我也知道啊。奶奶，您先试试这个手环。快来戴戴看嘛。"

"我先把它放在这个架子上吧。等你恢复到以前那么苗条的时候，我会记得戴上它的。"

"啊？"珍妮弗感到非常伤心：两个人都一个月没见面了，才一见面露易嘉奶奶就挑剔地说她变得比以前胖了，连一个拥抱都不给就开始说教……

珍妮弗抬头看看架子上的手环，毅然决然地说道："好，下个月我一定变回苗条的样子，那时再来探望奶奶吧。"

"你知道该怎么做吗？虽然你变胖只用了一个月，但是想要瘦回去可能要花上六个月的时间。咱们先说好，变瘦的前提是不可以挨饿。"

"我知道，我懂。一定要多吃蔬菜，最好是别吃零食；肉类只能吃瘦肉，而且只吃一点点儿；每天要做会流汗的运动三十分钟以上；多走路，尽量走楼梯而不要坐电梯……这些我都知道。"

"珍妮弗，知道是一回事，真正去做又是另一回事。就算你全都知道，想要落实也不是太容易。"

"从今天起，想要吃东西之前我都会多考虑三十秒，想想要吃的这种东西是不是对身体健康有益，如果是，我才吃。这样可以吗？"

"很好，非常不错的想法！今天虽然有点儿热，但是为了你，我想我们还是去散散步吧。"

珍妮弗极不愿意走在大太阳底下，但是碍于露易嘉奶奶的要求，还是很勉强地和她一起溜达了一个小时。不知道是不是因为变胖的关系，她走起路来觉得好累。

露易嘉奶奶在散步的时候，给珍妮弗讲了许多以前的事。

"我呀，其实高中都没有念完。那一年，父亲经营的帽子厂被大火烧毁了，家里陷入了困境。我虽然很小，但也只能到有钱人的家里去帮人家照顾小孩子。

"我记得那户人家连生了四个小孩。到那户人家当小保姆后，我每天都忙着照顾小孩，根本没有多余的时间去做其他的事情。那四个小孩都很喜欢扯弄我的头发，所以我只好在头上绑着头巾过日子。"

"奶奶，那您结婚的时候多大啊？"

"我是在十八岁的时候结婚的，当时决定得很仓促。"

"十八岁？我打算晚一点儿结婚。可是如果没有人愿意跟我结婚，我可能就嫁不出去了。"

"珍妮弗，结婚是一件你必须慎重考虑的事情。"

"我会的，我一定会的。每个人都会慎重考虑的，结婚本来就是需要慎重考虑的嘛。"

"怪就怪在人们在最重要的关头往往会出现失误，即使是行事一向沉稳的人，在重要的关头也可能会表现得心浮气躁。由此可见，判断一件事情的对错或决定一件事情是否去做、怎样去做，都是需要平时就要加以磨炼的。这世界上的事情，不是你有信心就能做好的。就拿我来说吧，每次要决定一件什么事情的时候，我都会很紧张。"

"奶奶，那您为什么会对结婚感到后悔了呢？"

"我并没有后悔。只不过当时我如果能够多考虑一下的话，我一定会选择念完高中后再考虑结婚的事……我今天是怎么了，居然对你这么小的孩子说这些话。"

"哎呀，奶奶，我其实懂很多事情的，更何况我已经有自己的

事业了。"

"是啊，你是个既聪明又有胆识的孩子。如果从现在就开始多练习着自己做决定，并多付诸实践，我相信等你长大以后一定会成为一个很出色的人。"

在回家的路上，珍妮弗对妈妈说："妈妈，我跟露易嘉奶奶约好了，下个月要变得像以前那样又苗条又健康才能再去看她。我需要您的帮助。"

"这个主意很不错。你刚才跟露易嘉奶奶在花园里都聊了些什么？你们两个人的表情看上去都好专注啊！"

"露易嘉奶奶跟我说了她年轻时候的事。她还告诉我，她对自己的未来不再期望什么了。我听了这话很难过。"

"这就是我们这些大人为什么会羡慕你们这些小孩子的原因。在你们的未来，还有像山一样高的棉花糖在等着你们呢。"

"我现在完全明白了，每个人身上都有值得学习的优点。这是今年暑假，我得到的最大的收获。"

"是啊，我的珍妮弗再也不是那个不懂事的小淘气了。"妈妈说着，刮了一下女儿的鼻子。

晚餐前，珍妮弗表现得十分特别。她手上拿着计算器和统计卡路里含量的表格，忙着计算餐桌上所有食物的热量。

"哎呀，妈妈，这道菜的卡路里太高了！以后我们家最好不要再做这种菜了。"

"纤维质……纤维质根本不够啊。我要多吃一点儿西兰花！"

"啊，果汁？天然果汁的糖分还是太高了……妈妈，以后吃饭时我喝白开水就行了。"

珍妮弗夸张的举动，让爸爸有些不耐烦。

"珍妮弗，我希望我们有一个安静的用餐环境。"

"爸爸，为了女儿的健康，请你忍耐一下吧。"

爸爸无可奈何，只好转移话题："你今天运动了吗？按照你的计划，你每天都要运动一个小时才对啊。"

"啊，运动！对，运动，运动……我下午跟露易嘉奶奶一起散步了。"

"你不是说运动一定要流汗吗？我记得你的计划是这样安排的。"

听了妈妈的话，珍妮弗不好意思地吐了吐舌头。

"好，等一下我就去跳绳。真是的……累死人了。"

珍妮弗吃着只加了柠檬汁的色拉，一边吃一边叹气。

"爸爸，为什么对自己有益的事情做起来总是这么难，对自己不好的事情做起来却那么容易？"

"没办法，就是这样啊。我看，我们家的珍妮弗就快要变成哲学家啦。"

"你不要取笑我啦，爸爸。自从你跟我讲了棉花糖的故事后，在做每一件事情之前我都会思考很久。"

爸爸夹起一块西兰花放到珍妮弗的盘子里，笑着说道："珍妮弗，要对自己说的话负责哦。"

"我知道，爸爸。我对我的未来抱有很大的期望，所以，我一定会努力追逐我的梦想的。"

珍妮弗用叉子叉起那块西兰花，然后像举着代表胜利的圣火似的把它高高地举了起来。

想和做是不一样的

"两只。"
一定有很多小朋友会这样回答，
但事实却不是这样的。
打算跳进水里和真正跳进水里，
想和做，是完全不一样的。
想象一下，如果是你做了
跳入水中的决定，
你是会真的勇敢地跳进去，
还是会留在原地呢？

结语

棉花糖，
甜美的诱惑

　　亲爱的小读者们，你们是不是以为等自己长大后变成了大人，就能把每一件事情都做得很好？

　　是不是以为变成了大人就会懂得该如何面对种种诱惑，并自然而然地成为一个朝着自己的目标一步一步迈进的人？

　　然而，我很久以前就已经是一个大人了，但我在面对诱惑时还是有很多的时候会举棋不定。

　　每个人的身边都有一个力大无比的朋友，那就是"习惯"。这个被我们称作习惯的朋友，既能帮助我们成为一个优秀的人，也能让我们一事无成。世界上有各种各样的习惯，你一旦选择了某种习惯做朋友，这种习惯就会停留在你身边，不肯轻易离开。因此，我们一开始就必须谨慎选择，选择那些好的习惯做朋友。

棉花糖，代表我们正在面临和将要面临的无数机会和诱惑。我们需要做的是，非常小心谨慎地选择，选择那些能够帮助我们成长的机会，而放弃那些会把我们引入歧途的机会。有些机会在当下看起来很灿烂，但可能会因为经不起时间的打磨而光芒骤减；有些机会在当下看起来或许会像鹅卵石一样平凡，但日后却能成为璀璨的宝石。

各位小读者，我在这里衷心地希望你们能够好好地记住棉花糖的故事，并立志成为一个意志坚定，懂得取舍，对自己的未来抱有很大期望的人。

任定进

图书在版编目（CIP）数据

孩子，先别急着吃棉花糖 / ［美］波沙达著；［韩］任定进改编；
徐若英译. —— 青岛：青岛出版社，2011.11
ISBN 978-7-5436-7575-9

Ⅰ.①孩… Ⅱ.①波… ②任… ③徐… Ⅲ.①习惯性-能力培养-少儿读物
Ⅳ.①B842.6-49

中国版本图书馆CIP数据核字(2011)第204934号

著作权合同登记号　图字：15-2011-013

어린이를 위한 마시멜로 이야기

Don't Eat The Marshmallow...Yet! for Children

Original text Copyright © 2005 Joachim de Posada

Text Copyright © 2006 Lim，Jeong Jin

Illustrations Copyright © 2006 Won,You Mi and Shin, Myeong Hwan

Complex Chinese translation copyright © 201X by The Eurasian Publishing Group(imprint: Fine Press)

This translation was published by arrangement with Gipun Book Corporation

Throup I One Company, Seoul.

书　　名	孩子，先别急着吃棉花糖	
原　　著	［美］乔辛·迪·波沙达	
改　　编	［韩］任定进	
插　　图	［韩］元尤美　申明焕	
翻　　译	徐若英	
出版发行	青岛出版社	
社　　址	青岛市海尔路182号（266061）	
本社网址	http://www.qdpub.com	
邮购电话	13335059110　0532-85814750（传真）0532-68068026	
策划编辑	谢　蔚	
责任编辑	梁　唯　王龙华	
封面设计	青岛出版设计中心·乔峰	
制　　版	青岛艺鑫制版印刷有限公司	
印　　刷	青岛嘉宝印刷包装有限公司	
出版日期	2011年12月第1版　2014年2月第15次印刷	
开　　本	16开（765mm×1010mm）	
印　　张	11	
字　　数	220千	
书　　号	ISBN 978-7-5436-7575-9	
定　　价	29.80元	

编校质量、盗版监督服务电话 4006532017　0532-68068670
青岛版图书售后如发现印装质量问题，请寄回青岛出版社出版印务部调换。
电话：0532-68068629
本书建议陈列类别：少年儿童　励志读物